『豊饒の海』の時代

三島由紀夫研究 ⑳

〔責任編集〕
松本　徹
佐藤秀明
井上隆史
山中剛史

鼎書房

目次

三島由紀夫研究⑳

特集 『豊饒の海』の時代

『春の雪』における翻訳文学受容
――綾倉聡子を中心に――

福田　涼

はじめに

綾倉聡子とは、どのようなヒロインであるのか。本稿はこの問題を、『春の雪』（『新潮』昭40・9〜昭42・1）における翻訳文学の受容という観点から論じるものである。

聡子の人物造形については、これまでも様々な見解が提出されてきた。たとえば、澁澤龍彥は「その表面の純情とは裏腹に、徐々に悪をかもし出す不吉な存在としか見えない[1]」と指摘し、聡子を運命の女《ファム・ファタール》めいた女性として位置づけている。一方で對馬勝淑は、聡子が「清顕と結婚したいという望みにつながるような、強い感情[2]」を抱いていたと弁じ、彼女の純情さを改めて強調している。このほか彼女を「都合よく擬制された〈他者〉」（川上陽子）と見る論[3]が存在する一方で、彼女が「出家と剃髪」によって主体的に「清顕との不可能としての愛を貫いた」（大久保典夫[4]）と解する論考も見受けられる。

小考は、右のように乱立している聡子像を統一することを目指すものではない。むしろ、かような解釈の揺らぎが発生する理由の一端を、前述の観点から明らかにすることが本稿の狙いである。一連の考察は、『春の雪』を姦通小説という枠組みの中で読み直すことや、それを通して『春の雪』という小説の従来注目されて来なかった側面に光を当てることにも繋がるだろう。こうした問題意識に即して、以下、具体的な分析を進めてゆく。

一

『豊饒の海』、とりわけ『春の雪』における先行作品の受容に関しては、既に多くの見解が提出されている。三島による「王朝文学と現代文学との伝統の接続を試みた[5]」といった自註の存在も相俟って、巻末で「典拠」であることが明示されている『浜松中納言物語』を中心として、『源氏物語』や

『竹取物語』、それから『更級日記』など、日本の古典文学と本作の関係について考察が進められてきた。また近年の研究に目を向けると、『春の雪』が「日本近代文学史上よく知られた恋愛文学を様々な形で引用している[6]」旨が、井上隆史によって指摘されている。

一方で『春の雪』がその枠組みや筋書き、あるいは細部の叙述において、数多くの翻訳文学を多様なレベルで摂取している事実は、従来ほとんど指摘されて来なかった。例外的な論考の一つとして、野口武彦は『春の雪』および『奔馬』の書評において、前者で繰り広げられる姦通譚の背後には「西欧の偉大な「姦淫の神話」といわれるトリスタン・イゾルデ伝説の構図」、すなわち「恋愛が恋愛として充足され完結されるためには必ずや禁制されていなければならぬというエロスの神話の構造[7]」が透視されると指摘している。従来ジョルジュ・バタイユ『エロチシズム』(室淳介訳、ダヴィッド社、昭34・11)からの影響が指摘されてきた『春の雪』の「エロスの構造」については、別の機会に論じよう。ここで注目したいのは、『春の雪』が『トリスタンとイゾルデ』を髣髴させること、それ自体である。この「トリスタンとイゾルデ伝説」、とりわけそれに基づくリヒャルト・ワーグナーの楽劇『トリスタンとイゾルデ』が三島の偏愛の対象であったことは周知の通りである。青年期の三島はこの「伝説上の悲恋」に「真に恋する者は永遠に結ばれぬ」という「一つの永遠の様式[8]」を見出していたが、その意味において、『春の雪』終盤の筋書き――すなわち聡子の出家と清顕の死――についても、同楽劇における「愛の死」のモチーフを変奏したものと見做すことができよう。根本美作子が『春の雪』を評して「典型的な美男と美女の典型的な悲恋物語[9]」と述べているように、本作が備える「物語らしい物語の魅力[10]」は、かような「様式」に担保されているのだ。

ここで重要なのは、『春の雪』が「トリスタン・イゾルデ伝説」以外の翻訳文学にも強く影響されている事実である。そして、こうした先行小説からの影響は、聡子に関する叙述において特に集中的に表れている。まずは『春の雪』の山場の一つ、彼女が清顕と人力車で雪見に赴く場面を見よう。

> 行先を尋ねた車夫に、／「どこでもいい。どこへでも行ける限りやつてくれ」／と答へた清顕は、聡子も同じ気持なのを知つた。(略)／車夫が気配を察して立止つた。／「さうじやないんだ、行け！」と清顕は叫んだ。(『春の雪』十二)

右の叙述は、ギュスターヴ・フローベール『ボヴァリー夫人』(一八五六)における次の場面に酷似している。

> 「旦那、どこへやります？」と馭者がきいた。／「好きなほうへ！」レオンはエンマを車のなかへ押し入れながらいった。(略)馬車はグラン・ポン通りを下り(略)ピエールコルネイユの像の前でハタととまった。／「もっ

とゆけ！」内側から声がかかった[11]。

これ以前に、色男ロドルフとの姦通を経験しているエンマは、年下の恋人たる書記官レオンを性的に魅了する。パリで法律学を学ぶ間「放蕩などは」「いっさい差しひかえた」というレオンは、エンマとの姦通において「はじめて女性美のいうにいえない微妙さ」を味わうことになる。かような姦通のありようは、『春の雪』の清顕が「聡子のいざなひのままに動くことのよろこびを知」り、「女に導かれるときに、こんなにも難路が消えて、なごやかな風光がひろがることをはじめて覚《さと》つた」（『春の雪』二十七）ことを想起させる。これに加えて、聡子との接吻や性交において清顕が感受する「全身が融かし込まれる」ような「融和」（『春の雪』十二）ないし「果てしれぬ」「融解」（『春の雪』二十七）の感覚が、レオンが体験する「自分の全存在が、骨の髄までこのしっとりした掌のなかに吸い込まれるような」知覚と類似している点も興味深い。この意味で、清顕はレオンに、そして聡子はエンマに擬えられよう。それでは『春の雪』の聡子は、右の時点で疾うに「あられもない変容」（蓮實重彥[12]）を遂げているエンマと、人物造形の面でどのような関係性を結んでいるのか。

この点について検討する上では、レイモン・ラディゲ『肉体の悪魔』（一九二三）の存在も見落とすことができない。少年期における三島の「座右の書」[13]であったこの姦通小説と『春の雪』とを比較する先行論は見当たらない。しかし、『肉体の悪魔』のマルトが氷雨に打たれたことで[14]、そして『春の雪』の清顕が雪の降る参道を歩いたことで、それぞれ「風邪」を拗らせて死んだという点で、両作は同様のモチーフを共有している。また涙で頬を濡らす聡子によって発せられた「子供よ！　子供よ！　清様は。何一つおわかりにならない」という、清顕を「いためつける言葉の精華」（『春の雪』十九）も、少なくとも語彙の面では、「あなたつてば、ほんとに子供ね。あなたに帰つてと云つたのは、本当にあなたを愛してるからぢやないの。わからない？」と「啜り泣」くマルトの台詞と類似している。こうした共通点を踏まえつつ、以下『春の雪』と『肉体の悪魔』とを比較しよう。くだんの人力車の中で、清顕は聡子と初めての接吻を交わす。

> 膝掛の下で握つてゐた聡子の指に、こころもち、かすかな力が加はつた。それを合図と感じたら、又清顕は傷つけられたにちがひないが、その軽い力に誘はれて、清顕は自然に唇を、聡子の唇の上へ載せることができた。
> （『春の雪』十二）

右に続く一連の描写は、作中人物による接吻を「率直な喜びをもって描いた」という点で、「作者の三島にとって、貴重な達成であった[15]」とも評されている。ただし、ここで注目すべきは、作中人物の「率直な喜び」それ自体というよりも、そうした「喜び」を担保している条件の方であろう。というのも、右の時点で「まだ女を知らない」筈の清顕が聡子と交わした接吻の「自然」さには、聡子による「いざなひ」が大きく寄与していると考えられるからである。傷つきやすい清顕の「不安がのこりなく拭はれ」たことや、彼が接吻を通じて「矜《ほこ》りを感じた」（同前）ことは、聡子の「いざなひ」に、その多くを負っているのだ。

　こうした年長の女性が性的に未熟な男性を接吻へと誘うという構図は、『肉体の悪魔』にも見受けられる。主人公にして語り手の「僕」が、ヒロインのマルトと初めての接吻を交わす場面を引こう。

　かうして僕は自分の唇に、彼女の唇を感じたのである。（略）しかし僕が顔を近づけた時、僕の頭を唇へと引き寄せたのは、実は彼女だつたのだ。彼女の両手は僕の襟首を抱き締めてゐた[16]。

　このように「僕」にとっての「最初の接吻」は、人妻のマルトによってリードされたものであった。もちろん具体的な挙措は異なるが、男性主人公よりも積極的に振る舞い、彼らを「最初の接吻」へと誘導している点において、聡子とマルトは同様の位置にあるといえよう。更に興味深いのは、マルトとの密会を重ねながらも「まだ経験したことのないものの前にのみ感じる臆病」に捕われていた「僕」が、自らを古代ギリシャの物語『ダフニスとクロエー』の男主人公に擬えている点である。『潮騒』（新潮社、昭29・6）の藍本としても知られる同書において、主人公のダフニスはリュカイニオンという年増女に言葉巧みに誘導され、性の手解きを施される。しかし『肉体の悪魔』の場合、「僕」自身が述べている通り「此処ではクロエが手解きを受け、ダフニスは自ら進んで教へを庶はなかつたのだ」。『肉体の悪魔』は「根が善良」で「心からブルジョアの道徳観を抱いてゐた」マルトが、「僕」の働きかけによって「ブルジョア特有の偏見に反対する」行動へと誘われる物語として読まれ得ようが、接吻や交情の決定的な瞬間において積極的な振舞いを示しているのは、むしろマルトの方なのである。そして、性体験に乏しい「ダフニス」＝「僕」よりも、「手解き」を受けた「クロエ」＝マルトが能動的に振舞う[17]という構図は、『春の雪』の主人公たちにも当て嵌まっている。男性主人公が「まだ経験したことのないもの」を前にして感じる「臆病」や「不安」は、性的に積極的なヒロインの振舞いによって、自然と解消されてゆくのである。

　以上の考察から理解されるのは、『春の雪』の聡子が、先行の姦通小説におけるヒロインたちと同様の性的な積極性を備えているという点である。「遊《あそ》び女《め》の快楽の手ほどきを頑《かたく》なにしりぞけ」（『春の雪』二十七）ていた清顕が経験する一連の「感情教育」[18]は、聡子という能動的なヒロインによって誘導されているのだ。接吻の場面における「清顕は自分の指先が触れる彼女の耳朶や、胸もとや、ひとつひとつ新たに触れる柔らかさに感動した」（『春の雪』十二）との叙述も、これを傍証するだろう。聡子の身体の「柔らかさ」とは、単に物理的な意味での「柔らかさ」ばかりを指すのではないのだろう。すなわち、聡子が清顕に働きかけ、そして彼を受け容れる態勢を整えていることが、こうした記述によって仄めかされていると考えられるのだ。『春の雪』に影響を及ぼした翻訳文学における「姦婦」たちの言動に着目するとき、ともすれば受動的な女性とも捉えられてきた聡子の、その実すぐれて積極的なありようが、如実に浮き彫りとなるのである。

二

ここで注目したいのが、綾倉伯爵が蓼科に「今から頼んでおく」と言った、松枝侯爵の「はづかしめ」に対する奇怪な「復讐」の方法である。

すなはち、聡子が成人したら、とどのつまりは松枝の言ひなりになつて、縁組を決めることになるだらう。さうなつたら、その縁組の前に、聡子を誰か、聡子が気に入つてゐる、ごく口の固い男と添臥《そひぶし》させてやつてほしい。（略）決して聡子を生娘のまま、松枝の世話する婿に与へてはならない。さうしてひそかに、松枝の鼻を明かしてやることができるのだ。（『春の雪』四十二）

かくして聡子は、「閨のことにかけては博士《はかせ》」であるという蓼科から、「念入り」な性の「手解き」を施され、「生娘でないものと寝た男に生娘と思はせ、又反対に、生娘と寝た男に生娘ではなかつたと思はせる、二つの逆の術」（同前）を教え込まれることになる。彼女が「処女を与えたとき」に「どう見ても処女とは思えない手練手管[19]」を発揮する所以であるが、綾倉伯爵によるこの隠微な「復讐」にも、実は「典拠」が存在している。コデルロス・ド・ラクロの書簡体小説『危険な関係』（一七八二）が、それである[20]。以下、同書前半部の梗概を簡潔に示そう。

メルトイユ侯爵夫人は、かつて自らを出し抜いたジェルクール伯爵に「復讐」すべく、彼の許に嫁ぐ予定の乙女セシル・ヴォランジュを、稀代の放蕩者《リベルタン》たるヴァルモン子爵に誘惑させようと謀る。当初ヴァルモンは、身持ちの堅いツールヴェル法院長夫人を口説くことに夢中で、容易に篭絡が可能な小娘には興味を示さなかった。しかし、セシルの母たるヴォランジュ夫人がツールヴェル夫人に自らの悪評を告げ口していることを知った彼は、その報復のため、改めてメルトイユ夫人に協力を申し出る。やがて彼はセシルの恋人ダンスニー騎士をも欺き、セシルの処女を奪ってしまう。——嫁入り前の「生娘」を用いた「復讐」の手段は、『春の雪』のそれと酷似している。

伯爵自身の意識においては「いかにも長袖者流《ちやうしうしやりう》」とされる、こうした「優雅」による「復讐」について、伊藤守幸は「これが「長袖者流の優雅」であるとするならば、「色好み」の家に伝えられた「みやび」は、時の流れとともに、その

「制度的技巧性」の側面において、複雑怪奇な変容を遂げてしまったと言わなければなるまい[21]」と論じている。『春の雪』と王朝文学の近似性を説く先行論の多くは、三島による「絵巻き物語風の王朝文学の再現[22]」という自註を半ば追認することで、本作に描かれた「優雅」の「頽落ぶり」（伊藤前掲論）を見落としてきた。本作が『浜松中納言物語』を中心とする王朝文学を「典拠」としていること自体は確かであろう。しかしそのことを以って、『春の雪』の三島が、無条件に「平安朝古典に耽溺した至福の時代への回帰[23]」を遂げたとは見做しにくい。たとえば竹原崇雄は、十九歳当時の三島が『浜松中納言物語』と同じく菅原孝標女を推定筆者とする散佚物語『あさくら』を翻案している点に注目し、『春の雪』から作者の「純粋に美を求めた若い日への思い[24]」を汲もうとしているが、その翻案小説「朝倉」（『文藝世紀』昭19・7）にしてからが、王朝文学をはじめとする「物語」への「憧憬」を切断する企図の下で著された小説にほかならなかった[25]。鈴木貞美が指摘するところの「地の文にまで用いられる怪しげな敬語の問題[26]」も含めて、『春の雪』は「王朝文学」と「現代文学」とのアマルガム、あるいは、こう言って良ければ「王朝文学」の「贋物」として読まれるべきではないか。そして、本稿の議論が明らかにしてきた本作における翻訳文学受容の実態に鑑みれば、三島自身はそのことにすぐれて意識的であったように思われる。

話を『危険な関係』に戻そう。先述の通り、ヴァルモンによって性の「手解き」を施されたセシルは、やがて図らずも彼の胤を宿すことになる。これに加えて、セシルが「流産」を経験すること、彼女が一連の事件を経て親の許しを得ぬまま「尼寺」（『危険な関係』）に身を寄せること、そして実母たるヴォランジュ夫人が娘の還俗を期待するのに対し、「尼僧院長」がセシルの決意を擁護すること。これら全ての逸話が、『春の雪』における聡子のそれと枠組みを同じくしている。先述の通り「典拠」であることが明示されている『浜松中納言物語』の佚亡首巻において、大姫が監督役たる継母の「目を盗んで、あたら八尺の御髪」を下ろした後、無事に女児を「分娩[27]」している点に鑑みても、ラクロの小説が『春の雪』に与えた影響の大きさが改めて窺い知れよう。事物としての手紙が、ストーリーを駆動する重要な小道具として登場する点でも、両作は共通している。『春の雪』が、密やかにして有力な「典拠」として、『危険な関係』を参照していることは、もはや疑いようがない。

　ただし、ここで注目すべきは、むしろセシルと聡子を画する決定的な差異の方であろう。『危険な関係』のセシルは、メルトイユ夫人の計略やヴァルモンの「手解き」に対し一貫して受動的であり続けた、無垢にして無知なる存在であった。それに対して『春の雪』の聡子は、清顕との逢瀬すなわち「罪」へと、すぐれて能動的に参画してゆく。たとえば、終南別業からの帰途、フォードの「仄暗《ほのぐら》い」車内——「幌」に包まれ、互いの「膝頭」がぶつかりそうになるほど狭小な空間に置かれた男女という構図は、清顕と聡子の雪見の場面と全く同じである——にて、本多の「今夜すでに、僕は罪に加担してしまつたのです」との言葉を「強く、怒つたやうに遮つた」聡子は、「罪は清様と私と二人だけのものですわ」(『春の雪』三十四)と揚言していた。この「二人」という範疇からは、後に聡子と自分が「同罪」(『春の雪』三十七)であることを言い含めようとする蓼科さえも、完全に排除されている。本多の協力や蓼科の手引きの下で遂行される、「なにやらこそこそと薄汚い[28]」とも評され得るような逢瀬の実態は措くとしても、少なくとも聡子の意識において、「罪」はおのれと清顕の「二人だけ」で共有されなければならないのだ。六十年後、すなわち『天人五衰』(『新潮』昭45・7〜昭46・1)の終結部において、月修寺門跡の面前で「清顕と自分との間柄やら、清顕の恋やら、その悲しい結末やら」(『天人五衰』三十)を物語った本多は、しかし「二人だけ」の「罪」の「物語」から、決定的に疎外されることになるだろう。

三

物語の終幕に及んで「姦婦」は死へと追いやられる。周知の通り、これが姦通小説の「典型的」な筋書きである。聡子の場合、彼女が肉体上の死を迎えることはないものの、自ら進んで得度を受け「現世」(『春の雪』四十六)から離脱すると同時に、「公の不名誉」を「一身に引受ける」(『春の雪』四十八)ことで隠喩的な死を経験する。そして物語の上でも、彼女は六十年にもわたる「沈黙[29]」を強いられることになるのである。

一方、聡子の妊娠が露見した後「謹慎」(『春の雪』三十九)を命じられていた清顕は、おそらくは新聞を介して[30]聡子の「遁世《とんせい》と落飾」(『春の雪』四十八)を知る。「世界」を支配する「物凄い明晰さ」(『春の雪』四十九)に苦しむ清顕は、やがて「夢と現《うつつ》の堺」に聡子の姿を仄見るようになり、「日ましに、ここを遁《のが》れ出したい思ひ」を募らせてゆく。そして「家出の決心をした」(『春の雪』五十一)清顕は、本多からの借金を頼りに奈良帯解の月修寺へと馳せ参じるが、聡子との面会はすげなく断られる。度重なる訪問と拒絶の末、病床に臥した彼に「成り代はつて」(『春の雪』五十四)本多が月修寺を訪れるが、やはり清顕と聡子の対面は許されない。かくして清顕の「世界」を覆い尽くす「物凄い明晰さ」によって停滞に陥っていた『春の雪』は、再度「絶対不可能なもの」(『春の雪』二十五)を導入することによって、ロマンティックな情動性を恢復するのである。

右のように、男性主人公によるヒロインとの面会が謝絶される展開については、従来『源氏物語』の夢浮橋巻からの影響が指摘されてきた。一方で、こうした筋書きはラファイエット夫人『クレーヴの奥方』（一六七八）の終結部とも重なる部分を有している。ここでは当該部分の梗概のみを示そう。クレーヴ侯爵夫人は、夫の死後、長らく想いを寄せていたヌムール公への愛を「修道院に引きこもつて」しまうことで断ち切ろうとする。彼女を連れ戻すために「色色と手を用いる」ヌムール公は、その一環として、腹心の友にして夫人の伯父でもあるシャルトル侯を「夫人の許に行かせたりまでした」が、夫人はヌムール公との面会を肯んじない。その後、ヌムール公は自ら修道院へ赴くが、その度毎にクレーヴ侯爵夫人は側近の婦人を介して、彼を拒絶する。「結局、ド・ヌムール公は悲しみに打ひしがれて帰るほかはなかつた」。そして生涯「一年の大部分をこの修道院ですごし」、毎日を「厳格で神聖な隠遁生活の中に送りむかえしていた」夫人は、後世において「比類のない貞潔の手本として」[31]称えられたという。以上のように物語の帰趨や作品全体の結構、細部の設定などは異なるものの、ヒロインが「自ら進んで」「修行の生活に身を涵《ひた》して」（『春の雪』四十六）いる点や、男性主人公や彼の意を受けた「親しい友だち」（『春の雪』二）の要請が斥けられる点において、『春の雪』は『クレーヴの奥方』を如実に想起させる。

　それでは、聡子は月修寺という「アジール」において「根底から自己を再生」[32]させたと評し得るのであろうか。語り手は、聡子の「急な落飾」の「経緯」を、彼女に内的焦点化しながら、次のように語っていた。

> 　髪の一束一束が落ちるにつれ、頭部には聡子が生れてこのかた一度も知らない澄みやかな冷たさがしみ入つた。自分と宇宙との間を隔ててゐたあの熱い、煩悩の鬱気に充ちた黒髪が剃り取られるにつれて、頭蓋のまはりには、誰も指一つ触れたことのない、新鮮で冷たい清浄《しやうじやう》の世界がひらけた。（『春の雪』四十六、傍点は引用者）

　こうした叙述の存在を重んじる時、確かに聡子はまさしく「清浄」な境地に収まっているようにも捉えられる。同節中の「髪は現世そのもののやうに、次々と頽落した」や「聡子の現世は剥離してゆく」（同前）といった表現も、こうした見方を補強するだろう。これに加えて、傍点を付した「澄みやか」という言辞も注目に値する。北崎での密通の後、「蓼科を制する」聡子の声は「他界からきこえる声のやうに澄みやか」（『春の雪』二十七、傍点は引用者）と形容されていた。ここで聡子がいかなる「決意」（同前）を固めていたか、あるいは「聡子の決意を知つた」という清顕の認識それ自体が正しいか否かは曖昧というほかない。しかし、ここであえて「他界」という語が用いられている事実を重視するときに浮かび上がってくるのは、この時点で既に聡子が自ら「他界」へ赴くこと、すなわち「死」を覚悟していた可能性である。トニー・タナーは「トリスタン＝イズー伝説」を論じる過程で、姦通小説一般の特性として「所与の世界のなかで見出される領域はどれも、究極的には姦通を犯す恋人たちには寛大たりえない(33)」ことを指摘している。これに関連して、『春の雪』では以下のような叙述が見受けられた。

　かれらを取り囲むもののすべて、その月の空、その海のきらめき、その砂の上を渡る風、かなたの松林のざわめき、……すべてが滅亡を約束してゐた。時の薄片のすぐ向う側に、巨大な「否《いな》」がひしめいてゐた。（略）聡子は自分たちが、決して自分たちを許さないものによつて取囲まれ、見守られ、守護されてゐるのを感じてゐた。（『春の雪』三十四）

このように聡子は、「自分たち」が「抱擁的な「否」」（同前）によって囲繞されていることを判然と自覚していた。この点において聡子は、どこまで「覚悟」（『春の雪』三十四）がついているのかが不分明な清顕(34)とは、すぐれて対蹠的である。かような「覚悟」が、聡子をして月修寺という「清浄」なもう一つの「他界」へと赴かしめ、そして彼女を「再生」させたと解釈することも、あるいは可能であるかもしれない。

　ただし右のような解釈においては、『春の雪』の聡子が内包している一種の陰翳が、丸ごと看過されてしてしまっている。病床に臥した清顕に代わって月修寺を訪れた本多は、門跡と対峙する最中、「遠からぬところ」で「幽《かす》かに紅梅の花のひらくやうな忍び笑ひをきいたと思つた」という。

　しかしそれはすぐに思ひ返されて、若い女の忍び笑ひときかれたものは、もし本多の耳の迷ひでなければ、たしかにこの春寒《はるさむ》の空気を伝はる忍び泣きにちがひないと思はれた。強ひて抑えた嗚咽《をえつ》の伝はるより早く、弦が断たれたやうに、嗚咽の断たれた余韻がほの暗く伝はつた。そこですべては耳のつかのまの錯覚であつたかのやうに思はれだした。（『春の雪』五十四）

この場面で「若い女」といえば、もちろん聡子の存在が直ちに想起されよう。右では明記されていないものの、本多も瞬間的にこれと同様の認識を持った筈である。だからこそ「忍び笑ひ」という認識は、彼なりの常識に基づき「すぐ」に「忍び泣き」へと修正される(35)。こうした状況において、聡子と思しき「若い女」が「忍び笑ひ」をもらすような事態は、「固人《かたじん》」（三十四）たる本多の「理解」（同前）を、遙かに逸脱しているからである。そして「すべては耳のつかのまの錯覚であつたかのやうに思はれだした」とされ、物音の正体が言明されぬまま、一連の叙述は閉じられる。

　ここで重要なのは、その物音の正体というよりも(36)、「もし本多の耳の迷ひでなければ」と、本多の判断の真偽が留保されている点であろう。本多は門跡に対し、「清顕の現在の病状と、彼が聡子に一目会ふためなら命をも賭けてゐること」（『春の雪』五十四）を告げていた。理由は定かではないが、聡子はそれを聞いて「忍び笑ひ」をもらすような女であったかもしれない——そのような可能性と物語の奥行を、右の叙述は浮き彫りにしているのだ。やはり六十年後、「もと綾倉聡《あやくらさと》子《こ》」たる門跡は、再び本多の「理を外れ」た言動を示し、彼を「雲霧の中をさまよう心地」（『天人五衰』三十）へと陥れることになるだろう。『春の雪』において綾倉聡子は、『クレーヴの奥方』という先行小説のヒロイン像を大きく逸脱すると同時に、「純情」とか「清浄」とかいった言辞では到底収まりのつかない陰翳を纏った人物として塑像されており、かような陰翳や「姦婦」としての積極性が彼女のイメージの揺らぎを生じさせているのである。

おわりに

以上、本稿では『春の雪』における綾倉聡子の造型について、同作における翻訳文学受容という論点を視座として考察してきた。先行の姦通小説との対比を通じて改めて浮き彫りになったのは、一連の姦通行為における綾倉聡子の能動性と彼女が纏う陰翳である。このほか、従来指摘されてこなかった「典拠」の特定を含めて、少なくとも受容研究という意味では、一定の成果は得られたものと思う。ただし見られる通り、本稿では『春の雪』における聡子の行動原理を析出するには至っていない。また『豊饒の海』全篇における聡子の役割についても、本稿の議論を端緒として、具体的な考察を進めてゆく必要があるだろうが、これらの点については今後の課題としたい。

（大阪大学大学院生）

＊三島由紀夫の作品からの引用は『決定版三島由紀夫全集』（新潮社、平12・11～平18・6）に拠った。なお本稿は、二〇一九年十二月に大阪大学へ提出した博士学位申請論文の一部を再編し、更に大幅な修正と加筆を施したものである。

注1　澁澤龍彦「輪廻と転生のロマン『春の雪』および『奔馬』について」（『波』昭44・4）

2　對馬勝淑『三島由紀夫『豊饒の海』論』（海風社、昭63・1）。田中あゆみ「三島由紀夫『春の雪』――綾倉聡子という女――」（『国文白百合』平30・3）も、聡子を「決して周囲に怖れを抱かせるような人物ではなく、清顕を愛するがゆえに苦悩する普通の人間である」と評している。

3　川上陽子『三島由紀夫〈表面〉の思想』（水声社、平25・3）

4　大久保典夫「三島由紀夫「春の雪」の聡子」（『國文學　解釈と教材の研究』昭55・3）

5　三島由紀夫「『春の雪』について」（『出版ニュース』昭44・7下旬号）

6　井上隆史『「もう一つの日本」を求めて　三島由紀夫『豊饒の海』を読み直す』（現代書館、平30・2）

7　野口武彦「ライフワークたる本面目を発揮　三島由紀夫『春の雪』『奔馬』」（『群像』昭44・4）。三島の『トリスタンとイゾルデ』受容については、梶尾文武『否定の文体　三島由紀夫と昭和批評』第二章（鼎書房、平27・12）や、藤田佑「三島由紀夫『盗賊』論」（『國語と國文學』平31・

3）他も参照。

8　三島由紀夫「ジャン・コクトオへの手紙――「悲恋」について」（『キネマ旬報』昭23・4）

9　根本美作子「『豊饒の海』あるいは型に嵌められた現実」（小林康夫・松浦寿輝編『表象のディスクール② テクスト危機の言説』東京大学出版会、平12・3）

10　佐伯彰一「解説」（三島由紀夫『春の雪』新潮文庫、昭52・7）

11　引用は、三島の蔵書目録に含まれる『世界文學大系34 フロベール』（筑摩書房、昭36・8）に収録の伊吹武彦訳に拠った。以下、三島の蔵書については島崎博・三島瑤子編『定本 三島由紀夫書誌』（薔薇十字社、昭47・1）を参照。なお両場面の類似自体は、安達敬子「『春の雪』覚書――三島由紀夫と『源氏物語』」（『和漢語文研究』平25・3）でも指摘されている。

12　蓮實重彥『『ボヴァリー夫人』論』（筑摩書房、平26・6）

13　三島由紀夫「死せる若き天才ラディゲの文学と映画「肉体の悪魔」に対する私の観察」（『スクリーン』昭28・1）

14　三島はエッセイ「肉体の悪魔」（『婦人公論』昭27・12）において、同題の映画（クロード・オータン＝ララ監督、仏、一九四七）では削除された当該箇所に言及し、「原作の中で私の好きな場面の一つ」と述べている。

15　松本徹『三島由紀夫 エロスの劇』（作品社、平17・5）

16　引用は、三島の蔵書に含まれる『魔に憑かれて』（江口清訳、羽生書房、昭21・2）に拠った。『ラディゲ全集』（江口清訳、中央公論社、昭28・6）など他の蔵書も参照。

17　この点については、拙稿「三島由紀夫『潮騒』論――初江に着目して――」（『語文』平30・12）を参照。

18　本稿においては詳述できないが、清顕と本多の人物造形は、フローベール『感情教育』（一八六九）におけるフレデリックとデローリエのそれを、一部踏襲しているのではないか。工藤庸子『フランス恋愛小説論』（岩波新書、平10・8）は、貧しい執達吏の家庭で育ったデローリエにとって、フレデリックは彼の「社会的プロモーションの具体的モデル」であり、デローリエはやがて「私生活においてまでフレデリックを模倣」してゆくことを指摘しているが、これは特に『暁の寺』（『新潮』昭43・9～昭45・4）や『天人五衰』における本多の行動にも当て嵌まる。清顕と本多に振り当てられている「感情」と「論理」という性格もまた、『感情教育』の人物造形に重なるものであった。

19　三好行雄・野口武彦・松本徹・柘植光彦による共同討議「三島由紀夫の作品を読む」（『國文學 解釈と教材の研究』昭56・7）における三好の発言。

20　以下、同書からの引用は三島の蔵書に含まれる『危険な関係』（伊吹武彦訳、創元社、昭23・4）に拠った。なお『春の雪』と同時期には、本書をパロディ化したと思しき『三島由紀夫レター教室』（『女性自身』昭41・9・26～昭42・5・15）が連載されている。

21　伊藤守幸「優雅の変質――『春の雪』への一視点――」（『弘前大学国語国文学』平1・3）

22　三島由紀夫「数奇なドラマ展開――著者との対話」（『名

古屋タイムズ』昭43・12・16）

23 注11安達前掲論。

24 竹原崇雄「三島由紀夫『春の雪』と『更級日記』――いま一つの「典拠」――」（『国語国文学研究』平9・2）

25 この点については、拙稿「三島由紀夫「朝倉」論」（『昭和文学研究』令2・3）を参照。

26 鈴木貞美「『豊饒の海』について」（『国文学 解釈と鑑賞』平4・9）

27 松尾聰の推論による。遠藤嘉基・松尾聰校注『篁物語・平中物語・濱松中納言物語』（岩波書店、昭39・5）の「解説」を参照。

28 注26鈴木前掲論。

29 有元伸子「沈黙の六十年」（『三島由紀夫 物語る力とジェンダー――『豊饒の海』の世界』翰林書房、平22・3）

30 「家の中で起こつてゐることを一切知らされなかつた」清顕が新聞によって「婚約破棄」（『春の雪』四十七）を知った旨は明記されているが、当該の紙面に聡子の現況や居場所が記載されていたか否かは定かではない。学習院での「噂話」（『春の雪』四十八）が情報源となった可能性も否定できないが、詳細は不明である。

31 引用は、三島の蔵書に含まれるラファイエット夫人『クレェヴの奥方』（梅田晴夫訳、思索社、昭24・9）に拠った。

32 有元伸子「綾倉聡子とは何ものか」（有元前掲書）

33 トニー・タナー『姦通の文学 契約と違反 ルソー・ゲーテ・フロベール』（高橋和久・御輿哲也訳、朝日出版社、昭61・6）

34 終南別業からの帰途、「覚悟をしていらつしやるのですね」という本多の問い掛けに、聡子は「ええ、覚悟をしておりますわ」と答えている。これに本多は「松枝もさうだと思ひます」（『春の雪』三十四）と応じているが、清顕本人の発言ではないことに加え、「思ひます」との留保がなされていることで、この「世にも親しい友だち」の発言は、むしろ清顕が「覚悟」できていない可能性を表面化させてしまっている。

35 なお映画『春の雪』（行定勲監督、東宝、平17・10）では「襖」の向こう側で聡子が「啜り泣き」をしている様子が、音声や科白によって表現されていた。

36 高松さなえ「綾倉聡子と『天人五衰』結末解釈――三島由紀夫『豊饒の海』研究（三）――」（『弘前大学国語国文学』平20・3）は、聡子が「清顕を完全に我が物」とし「そうすることで清顕に復讐する」との目論見を抱いていたとの解釈に基づき、「これは、聡子の忍び笑いに違いなく、計画通りに事を進行させた聡子の勝利の笑いではないだろうか」と論じている。ただし、そもそもこれが聡子によって発せられた物音であったのかという点も含め、当該箇所を解釈する上では、より慎重な姿勢が求められるのではないか。

特集『豊饒の海』の時代

三島由紀夫『豊饒の海』における〈タイ〉

——王族・留学生・バンコクでの現地調査から——

木谷真紀子

はじめに

三島由紀夫が、『豊饒の海』四巻を、「第一巻は〝たおやめぶり〟、第二巻〝ますらおぶり〟、第三巻〝異国《とつくに》ぶり〟、第四巻はSFじみた内容となる」（「6カ年計画で大長編を」「週刊読書人」昭40・3・8）と表現し、さらに、「『暁の寺』は、エキゾティックな色彩的な心理小説で、いわば『奇魂《くしみたま》』」（「私の近況―『春の雪』と『奔馬』の出版」「新刊ニュース」昭43・11・16）と解説したように、『暁の寺』（「新潮」昭43・9〜45・4、昭44・7、新潮社）は本多繁邦が滞在しているタイの異国情緒あふれる描写に始まる。『春の雪』（「新潮」昭40・9〜42・1、昭44・1、新潮社）、『奔馬』（「新潮」昭42・2〜43・8、昭44・2、新潮社）に続く『豊饒の海』の第三巻である同作は、「いわゆる『起・承・転・結』の構成を踏んで発想されているこのライフワークにあって、まさしく『転』の位置に立つ(1)」とされたように、これまでの二巻とは様々な点で異なっている。

その中でも大きな特徴が、作品における時間の扱われ方であろう。第一部は、本多がタイやインドに滞在した昭和十六年と東京が焼け野原になった二十年六月、第二部は、ジン・ジャンが留学で日本に滞在した二十七年、そしてその死が伝えられる四十二年で終わる。言うまでもなく、十六年は太平洋戦争が勃発した年であり、二十七年は、講和条約発効によって日本が独立を果たし、同条約に署名調印した四十八ヶ国との国交が復活した年である。つまり、『暁の寺』には、国際情勢における十年の空白前後の、日本と「異国《とつくに》」タイの姿やその関わりが描かれていると言える。

『豊饒の海』とタイに関する研究については、久保田裕子氏が、本作を〈日本近代文学〉という枠組の中で捉え直し、その「タイ」の表象について、同時代の他作家との比較や現地調査などをふまえた優れた成果を残している(2)。しかしその後、『三島由紀夫研究』において『暁の寺』に関する創作ノートが全て公開されるなど、さらに研究を進められる可能性が生まれた。そこで本稿は、そのノートの内容をふまえつつ実際のタイや、タイと日本の関係がどのように作品化されたかを、外交史料や現地調査、さらには〈メディアに報道されたタイ〉という視点から分析したい。

まず第一章では、パッタナディドとクリッサダ両殿下、またジン・ジャンが〈留学生〉として日本を訪れた背景を考察するために、外交史料館の貴重史料と新聞報道から、日本におけるタイ王族とタイ人留学生の歴史を確認する。第二章では、作品発表時のタイがメディアにどのように登場し、報道されたかという見地から、同時代の読者の〈タイ〉への眼差しと、その作品の受容との関わりを分析する。最後に、タイでの現地調査の結果を、『三島由紀夫研究』で公開された創作ノートと併せて読むことで、〈書かれたタイ〉と〈書かれざるタイ〉の比較から、三島由紀夫が表現しようとした〈タイ〉を明らかにしたい。

第一章　タイ王族の訪日とタイからの留学生

三島の在学中の昭和十八年、タイからの留学生が学習院高等科に在籍していた。ラーマ四世の曾孫ウイブン・ワラワンと、プラサート・パンヤラチェンの二人である。両名に言及した先行研究は、タイ人留学生に関する調査が十八年前後中心であるため、『春の雪』、『暁の寺』の作品内時間を含む明治から昭和二十年代までのタイ王族とタイ人留学生が、どのように日本での歴史を紡いできたかを通史的に確認したい。

管見に入った中でのタイからの留学生に関する最初の記録は、外務省在暹公使館の一等書記が明治三十二年一月に作成した文書であった(3)。タイから東京美術学校に留学する学生の経費に関する相談だが、この学生が実際に来日した記録は見受けられていない。しかし三五年十二月十六日、当時皇太子だった後のラーマ六世が来日した。「朝日新聞」は社説で、

> 然るに今や暹羅皇太子殿下の世界周遊の途次、特に吾国に立ち寄らせらるるに会す。吾人焉んぞ熱誠を以て歓迎し、奉らざるを得んや。（略）若し吾が国維新後三十六年間の歴史が少にしても吾締盟国の将来に貢献する所あると得は豈正に吾国の栄誉のみならんや。（略）吾皇室及臣民が至誠を以て殿下を歓迎する情は温かにして春の如し(4)

と皇太子の訪日の意義を述べている。皇太子の一月十三日までの約一ヶ月の滞在中、明治天皇皇后がその滞在先に行幸する(5)など国賓として遇され、東京帝国大学を訪問(6)、相撲の見学(7)の後、日光、名古屋、京都、奈良を巡り、その動向が連日伝えられた。この皇太子の訪日の日タイ両国での歴史的価値についてはさらに考察する必要があるが(8)、それから僅か四ヶ月後、「暹羅皇后陛下より派遣せられたる同国留学生八名(9)」

が来日する。この八名がタイから日本への最初の留学生だと考えられ、さらには「二名は皇帝陛下の甥にあらせられる。親王の他の二名は貴族の子息にして年齢はいずれも十五歳より十八歳まで。また女性四名も各地位ある人の令嬢にして年齢十四歳乃至十五歳」[10]であった。名前は確認できなかったが、当時はラーマ五世チュラローンコーン大帝の時代であり、同王の甥となると、ラーマ四世の孫である可能性が高い。

『春の雪』に登場するシャムの王子たち、パッタナディド殿下とクリッサダ殿下は、いずれもラーマ四世の孫であり、パッタナディド殿下はラーマ五世の子で、訪日もした新王ラーマ六世の弟として設定されている。ラーマ四世は一八五五年、イギリスとの通商条約締結によって、それまでの鎖国的状況を終わらせ、西洋文化を取り入れた。昭和九年のタイ国の実情についての外務大臣への報告では、ラーマ四世を「内政改善教育振興等ノ方面ノ発展ノタメ自ラ率先シテ英語ヲ学ビ、子弟ヲ鞭撻シテ他日ノ飛躍ニ備エシムルに努メタ」[11]王とされている。後の研究でも「新しい時代にふさわしい人材育成を心掛け」「王子、王族の教育に」「旧新両面の知識、語学そして国際情勢に関する知識を取り入れた。このような基礎があったからこそ、シャムはラーマ五世期に本格的な『近代化』を展開できたのだ」[12]と高く評価されている。

ラーマ四世は、王族や貴族の子弟を海外留学させることで絶対王制の維持・発展を試みたとされている。[13]現在も上演頻度の高いミュージカル『王様と私』(一九五一)が、このラーマ四世と、子の家庭教師である英国人女性の物語であるように、アジアの国々が何かを学ぶ、となると西洋文化や英語の印象が強い。しかしタイ王族の視線は、西洋だけではなく日本にも向けられ、皇太子が長期滞在しただけではなく、王族の日本への留学も『春の雪』の時代よりもさらに遡った明治三十(一九〇〇)年代に始まっていたのが分かる。

『春の雪』で、松枝侯爵がタイについて語る「あの国はこのごろ、奴隷も解放する、鉄道も造る、なかなか進んだやり方をしてゐるらしい」という内容は、全てパッタナディド殿下の父ラーマ五世チュラローンコーン大帝の改革である。ラーマ五世は一八七四年に国政協議会を創設、一八八九年には奴隷を解放し、九二年には政府機構の改革を宣言して一二省を設け、中央政権統治を確立した。「一八九七年には欧州各地を歴訪し、見聞の知識を持って政治軍事教育財政の大革新を行い現代的国家の建設に努力した」[14]とされ、現在もタイ国民にとって、現代的国家としてのタイを建国した偉大な存在として崇敬を集めている。このチュラローンコーン大帝に同時期の明治天皇を、そのチャクリ改革に明治維新を重ねる言説は戦後も続いたが、[15]両者で大きく異なるのは、その子の数ではないだろうか。ラーマ七世はチュラローンコーン大帝の末子、第七十六王子である。[16]パッタナディド殿下は実在していないものの、「兄」であるラーマ六世が来日していることから七十六人の中に日本に留学した王子や彼と一致する個性や思想を持った王子がいたとしても不思議ではない。「ラーマ五世の息」という設定は、タイ王室に詳しい人にとっては、現実味があるものだったと考えられる。

　彼の「兄」皇太子時代のラーマ六世に続き、昭和六年には国王ラーマ七世夫妻が来日する。渡米の過程の一日だけにも関わらず、多数の報道があった[17]。日本への留学生も増え続け、九年六月には、東京に在住する留学生が二四名に達したため、「シャム国留学生協会」が「組織」される[18]。さらに同年十月には、「シャム皇帝プラチャテイツボク第七世陛下の御甥にあたるアリヤダット・ランサン・フリヤン殿下（御十八歳）」が、「歯科医学を御研究の御希望から日本で六年間勉強されることになり[19]」東京に来たことが、写真入りで紹介された。昭和十年代には、警官[20]や海軍留学生[21]、医学生[22]ら、日本への留学生は「約百五十名に達し」たが、それまで「従来確たる指導機関に恵まれないため、日本語の十分な習得すらできず、そのために志半ばに帰国するものも少なくな」かった。そこで一五年、「これ等タイ留学生に対する統一的指導機関の設置」が実現し、世田谷に完成した[23]。

　そして一六年には、「泰国主席全権ワンワイ・ワララン殿下[24]」が三月に来日し、五月までの二ヶ月の滞在中慈恵医大に学ぶタイ人学生の企画でグライダーを楽しみ[25]、日本の大学を卒業したタイ人留学生の祝賀会に出席[26]するなど留学生と積極的に関わった[27]。ほかに「憧れの桜を見る」ため妃と姫も来日するなど、帰国まで多くの報道があった。ワンワイ・ワラランが後に学習院に留学するウイブン・ワラランの父親であること、また三島の創作ノートにも表れることは既に指摘されながら[28]、この長期滞在や来日中の活動は注目されてこなかった。しかし実は、ワンワイは滞在中、妃と一緒に学習院を見学している[29]。ウイブンがそれから一年足らずで来日したことと併せて考えると、ワンワイは日本滞在中かそれ以前に息子を日本に留学させることを決意し、妻とともに息子の学習環境を確認していたと考えられるだろう。

　いよいよ来日したウイブンの留学を報道する記事には、

　先に来朝したワララン殿下の王子ワイブン・ワララン王子が二十三日午前八時神戸に到着された、王子は二十一歳、学習院から一高を経て東京帝大へ七年の予定で法学、政治学を専攻する。一緒に我国で勉強するバンコック・クロニクル紙社長令息プラサット・パンヤジュン君（一八）も同行した[30]。

とある。本人の名前には誤りがあるが、この記事には「ワラワン殿下の王子」という見出しが付され、翌年の記事にも「ワラワン殿下は令息ウイブン・ワラワン殿下を我が国に留学させた[31]」とあることから、ワンワイ・ワラワンの日本での活動が注目されており、それが前提となっての王子の留学として見なされていたことが窺える。また、当時のピブン首相の甥も、首相の兄にあたる父が、「立派な軍人にするつもりで去る昭和十四年五月、日本に留学[32]」させていた。記事には十四歳とあるため、十二歳という若年で来日したことが分かる。

このように、タイ王族の訪日や留学はそれぞれの王の治世に実現し、早くから〈留学生〉による交流も行われ、それに伴う報道も多数あった。さらに最初の留学生から、男女同数で、女子留学生も多数来日していた[33]。実際には内親王が日本に留学した記録はないものの、タイ現地での王族教育と日本が深く関わっていたことを示す記録がある。大正五年、当時のタイ全権大使の西源四郎作成「7 暹羅外交行政改革及顧問制度ニ関スル件 2」には、

Queen's College 宮内省所管ニテ現皇太后ノ内帑ニ依リ維持セラレタル小学校及中学ノ初中等科ヲ併置スル華族女学校ナリ。創設当時高等女子師範教授ノ安井哲子外二名ヲ教頭及助教授ニ採用シタルコトアルモ、其後ハ日本ニ留学セル女学生其他ノ暹羅人ニ依リ授業セラル[34]

とある。この「Queen's College」は、三島の「『豊饒の海』創作ノート⑧」（翻刻・井上隆史（本号代表責任）、工藤正義、佐藤秀明、「三島由紀夫研究11　三島由紀夫と編集」所収、平23・9）にも表れ、選択授業の中に古典舞踊があることがメモ書きされている。三島が、同校創設当時から日本人が教育に関係していたことを知っていたかは定かではないが、ジン・ジャンという〈王女〉が日本に留学する土壌は、タイと日本の両方で現実に存在していたのである。

戦後の日本は、敗戦国として、米国に派遣する留学生が中心となる。まずは外務省員の留学が二十三年から始まり[35]、二十四年には渡米留学生が募集され、百四十二名が合格する[36]。その後、様々な奨学金制度や、在米日系人などの寄附で、多くの留学生がアメリカに渡った。一方、日本に学ぶ外国人留学生としては、「留日米学生第一号」が二十五年八月に報道されている[37]。しかし、戦中戦後も帰国せず、学問を修めようとした朝鮮、中国、台湾などアジアからの留学生への支援を求める文書があることから[38]戦後の留学生支援は、そこに始まったと考えるべきだろう。

外交史料館の所蔵史料[39]で、戦後のタイからの留学生の記録を通覧した。最も古い記録は、二十七年一月、「国際学友会」の日本語教育部に「電気工学勉学希望」が一名、五月に「電気」を希望する二名が入部し、その後は警察官志望の三名が来日する。しかし国費留学生が復活したのは二十九年度からだった。外交史料館所蔵の募集要項の記録は、同年四月九日付の「（案1）」がもっとも古く、受け入れ留学生の数を二十名と三十名の場合に分けて、各国の留学生数を表にしたものもあった。応募要項の開示は六月だったが、四月二十日には、タイの英字新聞「LIBERTY」に「日本が、タイや他のアジア各国に奨学金制度を設ける」という記事が掲載された。

当時の在タイ特命全権大使の太田一郎は、その記事を添えて、外務大臣宛に真偽を確認する文書を送っている。つまり、日本政府による国費留学生制度復活は、募集発表から二ヶ月も前に現地紙に取り上げられるほど、タイでは大きな話題になっていたと考えられる。

　ジン・ジャンの来日時期は定かではない。しかし二十七年の春に既に留学生として日本にいたジン・ジャンは、実際の記録と併せると、戦後初めてのタイからの留学生とほぼ同じ時期の来日だったと判断できる。それは国費留学制度の復活前で、まだアジアからの留学生がほとんどいない時期であった。戦前は女子留学生も日本で学んでいたが、戦後に関しては、ジン・ジャンが日本で学んだ当時、タイからの女子留学生の記録は管見に入らなかった。

　ジン・ジャンがアジアの女性である意味は先行研究でも分析されているが、彼女はあくまでも〈留学生〉である。今後は、王族の女性で初めて、また戦後初めて日本で学んだアジア人女子留学生という〈事実〉も、ジン・ジャンの理解に必要なのではないだろうか。

第二章　『豊饒の海』発表時の〈タイ〉

　以上、タイと日本の関わりを、タイ王族や日本に学んだタイ人留学生を視座に、明治から『暁の寺』第二部の作品内時間に亘って確認した。先行研究では『豊饒の海』発表時期の日本におけるタイについて、「ワット・ポーや大理石寺院、ワット・プラケオすらも、一九六〇年代当時の一般的な日本人読者にとっては馴染みが薄く、ほとんど未知の領域であった」[40]とされてきた。タイのみではなく、当時の日本人作家がアジアを語ることが少なかったこと、だからこそ、三島がアジアを描いた意義も指摘されている[41]。

　しかし実は『豊饒の海（一）春の雪』の連載が開始される二年ほど前、昭和三十八年頃から、日本ではタイに関する報道が頻出していた。ラーマ九世プミポン前王が、国賓として来日したからである。タイ王室からはラーマ七世以来、戦後の〈国王〉の来日は四人目であり[42]、明治三十五年の皇太子と同様、事前に細かい旅程が発表される[43]。実際の来日でも天皇皇后が空港で出迎え、来日翌日の宮中晩餐会では天皇が、

　　日タイ両国は政治、経済、文化、宗教などの面で多くの共通点を有しており、数世紀にわたって友好関係を築いてきました。貴国民と同様、大多数が仏教を信仰する日本国民としては、陛下の高祖父ラーマ五世陛下が仏舎利と黄金仏像をわが国に寄進されたことに深く感銘し、名古屋に日泰寺を建てました[44]。

と挨拶している。日泰寺によると、同寺院は明治三十三年に釈尊の真骨をラーマ五世から拝受し、奉安する為に一九〇四（明治三七）年に建立された[45]という。つまり、皇太子の来日や王の甥の留学と、仏教を通しての関わりが連続しているので

ある。この日泰寺には、ラーマ七世もプミポン王も参拝した[46]。プミポン前王に関しては、当時の国賓としての行事のほかに、京都、奈良、名古屋を訪問、金閣寺や平等院、奈良の大仏、長良川の鵜飼いを楽しんだことなどが各紙の朝刊、夕刊の両方で毎日掲載されている[47]。また王の趣味は作曲であり、王の作品七曲を含む特別演奏会がNHKホールで開かれ、皇族が招待された[48]。その後の会見で、王は「さあ、なんでも聞いてください」と記者に呼びかけ、時間を延長して行い、「思想の自由と言論の自由を守って、世界の平和に貢献してください」という激励で閉じた[49]。滞在中はバンコクの特集記事が組まれ[50]、帰国後も王のチュラローンコーン大学での演説のエピソードを紹介し、その人柄をタイ人の自主独立の精神の象徴としてまとめている[51]。日本国中を周って各地で市民と交流し、記者に語りかけ、その度に両国友好の歴史や日本人への親しみ、日本滞在における感謝を述べる三十五歳の青年王の姿は、日本人がタイ王室、またタイという国に関心を持ち、親近感を覚えることに大いに貢献しただろう。

　さらにその翌三十九年には、国王訪日の「返礼」として、天皇皇后の名代、皇太子夫妻、つまり現上皇と上皇后が初めてタイを訪問した[52]。各紙は訪タイ前から国を挙げての大歓迎の準備が進められていると伝え[53]、宿泊先となるワット・プラケオ内のバロマビアン宮殿や、ワット・プラケオ、チャクリ宮殿などを写真入りで紹介した。滞在中も、ワット・ベンチャマボピット（大理石寺院）参拝[54]、メナム川遊覧[55]、ハゼを専門にする皇太子のおしのびでの魚市場訪問[56]など、その行動や各地での歓迎ぶりが毎日掲載された[57]。さらに元日本留学生の団体から子象を贈られ、この時に日本への最初の留学生として明治三十六年に来日した人物が、皇太子夫妻と面会している[58]。つまり前年の国王来日によって親しみや関心をタイに抱いた日本人が、「留学」による両国の交流の歴史をも認識する機会があったと言える。皇太子夫妻によってメナムと名付けられたこの小象は、上野動物園で飼育され[59]、後に今上天皇（当時六歳）がえさをやる様子が写真入りで報道される[60]。訪問を伝える一過性の記事に終わらなかったのは、タイ王室と皇室の交流の成果であり、翌四〇年、三島が取材旅行で訪れた後の一二月には、常陸宮夫妻もタイを訪問した。これは欧州旅行の帰途、「アジア地域でタイだけを選んで訪問された」ものであり、皇族の訪タイを記念して開催されたタイ人留学生の弁論大会のプログラムには、タイからの留学生が国費私費あわせ「年間の平均でおよそ五百名近くに上っており、外国人在日留学生の中でも最高位を占めて」いるとされた[61]。

　上記の各紙の記事は、ほぼ全て写真入りである。カラーではないため、タイの寺院や王宮の様子がどれだけ伝わったかは分からないが、ワット・ベンチャマボピット参拝は、皇太子と日傘をさした着物姿の美智子妃の写真入り記事であった[62]。ほかに週刊誌などのグラビアページにも掲載され、テレビ報道もあったであろうことから、当時の一般的な受容者層が、〈タイ〉の文化や建造物の特徴を、映像で認識することもできたと考えられる。

以上のように、『春の雪』の連載開始当時、日本ではタイへの注目が高まり、読者は日常的に〈タイ〉に触れ、タイと日本の友好の歴史を知る機会があった。国王の来日や皇太子夫妻の訪タイに関する報道に触れていた当時の読者は、シャムの王子やタイの姫が日本に留学するという『春の雪』や『暁の寺』の内容をリアリティを以て受容できる知識を有していたのである。さらに、バンコクが描かれる『暁の寺』を読みながら、数年前の皇太子訪問、その報道によるタイの寺院や王宮の映像を想起することも可能だったのではないだろうか。

第三章　三島由紀夫のタイ取材、創作ノートと作品と

三島由紀夫が最初にタイを訪れたのは、昭和四十年十月十二日から三十一日で、既に『春の雪』の連載開始後であった。三島はどのようにバンコクを描いたのか、『暁の寺』に描かれたタイの建造物や場所を登場順に挙げ、作中の描写を分析したい。便宜上、番号を付す。

① ワット・ベンチャマボピット（以下、大理石寺院）
② ワット・ポー
③ ワット・プラケオ
④ オリエンタル・ホテル
⑤ ワット・アルン（以下、暁の寺）
⑥ 薔薇宮
⑦ バンパイン離宮
⑧ クロング・トゥーイ港
⑨ チャクリ宮殿

以上を分類すると、①②③⑤がワット（寺院）、⑥⑦⑨が王室関連施設である。②③⑤は、タイの「三大寺院」とされ、⑨のチャクリ宮殿も③ワット・プラケオの一部である。現在のガイドブックにも「3大寺院を中心に回ろう」という見出しのもと、その四か所について「必見スポットをまず見学し、残りは興味や時間の都合に合わせて訪れよう」とされている。[63]取材旅行での三島は、十六日に①大理石寺院、十七日に②ワット・ポー、十八日に⑤ワット・アルン、二十四日に①大理石寺院、③ワット・プラケオ、⑦バンパインを取材する。二十五日から二十八日はカンボジアを訪問して『癩王のテラス』（「海」昭44・7）の着想を得、二十九日にバンコクに戻り、⑥薔薇宮を取材しようとするが、コミュニストの逮捕で見学許可が取り消されてしまった。二年後の四十二年、インド政府に招待された三島は、インド訪問後十月十三日から再びバンコクを訪れる。「用事は別にない。薔薇宮の取材を除いては」と述べたとされるが、[64]昭和十六年当時のバンコクの様

子について熱心に取材し、十三日にはジン・ジャンとのひとまずの別れの場となる⑨チャクリ宮殿を見学、王妃の肖像画のことなどを書き留めた。その創作ノートに記された三島の文言と、作中の描写をあわせて確認したい。

『暁の寺』は「バンコックは雨季だつた」[65]と始まる。バンコクの月間降水量が最も多いのは九月であり、三島の訪問も十月だったため、前出「『豊饒の海』創作ノート⑧」には雨季に関する情報も多い。「シャワーが完全に定期的、一時間つゞいて上る」「町の中に線ができる。ふつてゐる所とふつてゐない所」の体験が、作中では「空のどこかには必ず青空が覗かれ」と表現され、雨季と言っても、日本の梅雨のような長雨が続くのではないことが分かる。続いて「バンコックの寺の数は七百あつた」「緑をつんざいて聳えるのはみな仏塔であり、暁の光を最初に受け、夕日の反映を最後までとどめて、日のあるあひださまざまに色をかえた」と、仏教国タイが印象深く著されているが、これは作品内時間の昭和十六年当時、「高い建物全くなく」「お寺のみそびえ立」(「同」)っていたという、調査で得た情報に拠るものだろう。

初めに紹介される①大理石寺院は、「十九世紀にラーマ五世チュラローンコーン大帝が建立した」作品内時間において「もっとも華麗な新しい寺」であり、本尊台座の中には、チュラローンコーン大帝の遺骨が納められている。歴代の王の中でタイ国民が「大帝」との尊称で呼ぶ王は、一世、五世、九世のみであり[66]、三島が丹念に調査したことが窺えるだろう。『暁の寺』には「当今のラーマ八世、アナンダ・マヒドン陛下」の摂政アチット・アパー殿下の参詣が描かれたが、殿下が寺門の前に到着、中で参詣をすませて「足早に門を出られ」るまで、一般の参拝客は寺院の中に入ることができない。作品にも、「古代クメール洋式の」冠飾、「古代ジャワ洋式の」小閣、「ヨーロッパ風の」石欄、と様々な文化様式を取り入れた寺院の装飾が描かれるものの、本堂内の描写はない。しかしこの本堂には「タイ北部ピッサヌローク県ワット・マハータートのタイで最も美しい仏像といわれる本尊を模した」[67]仏像やタイ北部の文様、ステンドグラスがあり、さらに外回廊には五十二体の青銅[68]の仏像が並ぶなど、見どころが多くあるにも関わらず、本文には、門から本堂までの道筋が描かれるのみである。

続いての②ワット・ポーは「大きな寝釈迦仏があり、タイ式マッサージの総本山として知られている第一級王室寺院」[69]で、寝釈迦仏の足の裏は、長さ五メートル、幅一・五メートル、一〇八面でバラモン教の世界観を表現している。[70]この本堂も、「タイ北部の寺院から集められた」二四四体の仏像のある外回廊と、「一五〇体並べた内回廊に二重に取り巻かれ」ている[71]が、三島が記すのは仏塔と、寝釈迦仏の頭、「みごとな螺鈿細工」とする足の裏のみである。

③ワット・プラケオでは、三島は回廊に描かれた「ラーマ

ーナヤ物語の壁画の連鎖」における猿神ハヌーマンに着目し、壁画をもとの物語、言語世界に戻すかのように描写する。ワット・プラケオは碧玉の仏を祀っていることから〈エメラルド寺院〉と称され、アンコールワットを復元した建造物の一群[72]や、『ラーマーナヤ』に登場するヒンドゥー神話の聖鳥や猿神、悪魔の像、また中国の石像など見どころにあふれており、タイという国が、東南アジアの様々な国家と関わり、それらの文化と融合して新しい文化を築いたことが実感させられる。そのような、世界的にも稀有な様々な国の文化が共存する〈寺院〉でも、三島は壁画を描くのみである。三島のワット・プラケオの取材時間は短く、また三島の蔵書目録には、この『ラーマーナヤ』物語が含まれていること[73]から、三島が当初からワット・プラケオの中でこの壁画だけに触れるつもりであった可能性を窺わせる。

以上の三寺院が描かれてようやく、本多と菱川が登場し、なぜ本多がタイにいるかが説明され、そして、本多が滞在するオリエンタル・ホテルから眺めた暁の寺の姿を著す。

作中に「バンコック一」と書かれるオリエンタル・ホテルについては、創作ノートでは一冊目の最初の「Warren の話」に「(六) Lは発音せぬ故、オリエンタルホテルはオリエンテン・ホテン也」と書かれている。他にも「ホテル(オリエンタル・ホテル)は昔のまま。ロイヤル・ホテルが昭和十六年に建った」「オリエンタル・ホテル右の川上対岸―ワット・アルン」(「『豊饒の海』創作ノート⑧」)と記されているため、作品内時間からバンコクに存在し、なおかつ対岸に暁の寺が見えると考えたことから、三島は本多の滞在先として、オリエンタル・ホテルを選んだのだろう。

現在バンコクに多くの高級ホテルがある中でのオリエンタル・ホテルの特徴は、文学と関わりが強いことである。「オーサーズ・スイート」というスイートルームには、サマセット・モームはじめ四名の作家の名前が付されており、作家に合わせた雰囲気の部屋となっている[74]。創業当時から変わらないオーサーズ・ウイングには、オリエンタル・ホテルに滞在した数十名の著名な作家の写真が飾られ、そこにあるオーサーズ・ラウンジにも、「ジェームズ・ミッチナーラウンジ」というように、やはり作家の名前が付された部屋などがある。三島は昭和四十年はラマホテル、四十二年はエワランホテルに滞在したとされるが、世界の文豪の中に、日本人作家で唯一、三島由紀夫の写真も飾られ、(次頁写真)説明には、

MISHIMA YUKIO (1925–1970)
Pen name of Kimitake hiraok《ママ》, Japanese author and film director. Donated a copy of "Forbidden Colors" to Oriental library

とあった。三島が謹呈したという『禁色』は、同じオーサーズ・ウイングの一階にあるオリエンタル・ライブラリーでは確認できなかったが、『仮面の告白』『金閣寺』『午後の曳航』

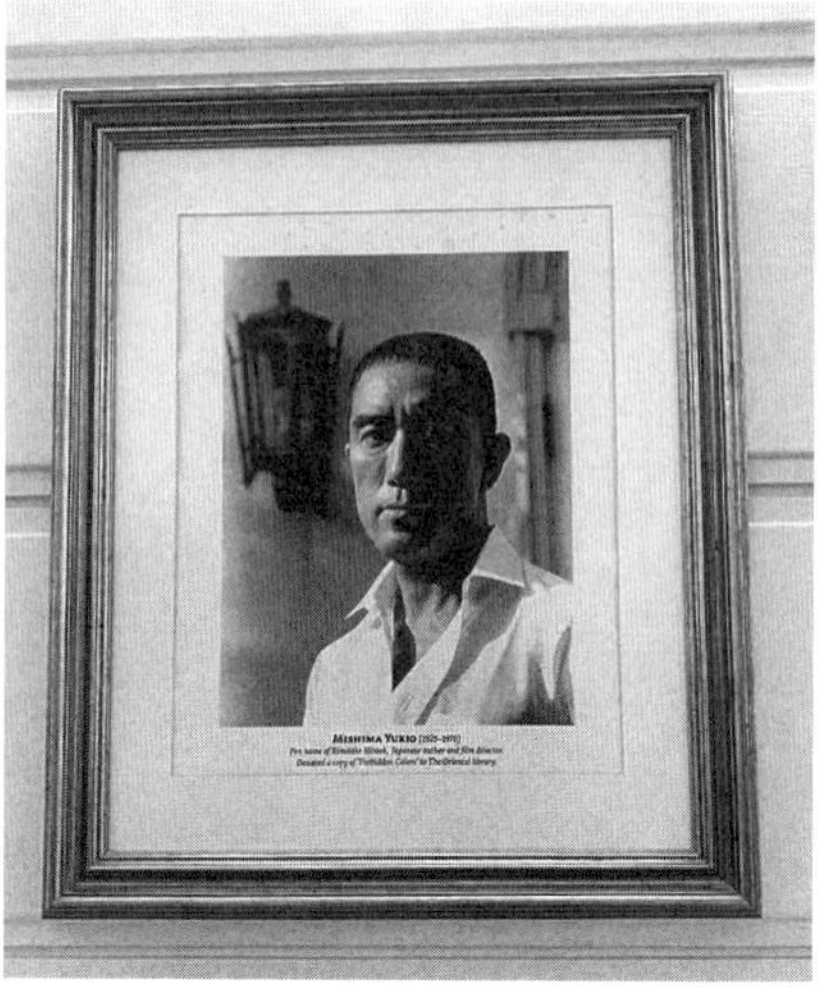

オリエンタル・ホテルの三島の写真
（令1・9・15、筆者撮影）

『奔馬』、そして『暁の寺』と、六作の三島作品が納められていた。三島は上記のようなオリエンタル・ホテルと作家との関わりについて記さず、同ホテルにおいて作家との関わりがどのように推移したかは更に調査する必要があるだろう。しかしオリエンタル・ホテルは、このような特徴から「オーサーズ ラウンジの個性が光る店内は、タイで一番ではないにせよ、バンコクで最も人気のある写真撮影スポットの一つ[75]」とされているように、もはやホテルというよりも、戦前からの文化や趣きを残す名所として存在しているのである。

その④オリエンタル・ホテルで夕焼けを眺めながら、本多は前日に訪れた⑤暁の寺を想起する。「暁の寺へゆくにはもつとも好もしい正に日の出の刻限」に訪れた本多と同様に、三島自身も暁の時間帯に訪れたようだ。タイではほぼ全ての寺院に仏塔があるが、三島の蔵書目録にある『タイ国地誌』では、仏塔を「プラチェディ」と「プラプラン」と呼ばれるものとに分類し、暁の寺の塔を、「プラプラン」の筆頭に紹介している[76]。作品の冒頭から雨季であることが記されているのは先述の通りであり、①大理石寺院を参詣した殿下には傘が差し掛けられ、②ワット・ポーは本堂、③ワット・プラケオは回廊が描かれるのみであった。三島は、ここで初めて、日の出の刻限の太陽の輝き、それを打ちならす暁鐘と〈光〉と〈音〉の中に暁の寺を描くのである。

本多がパッタナディド殿下やクリッサダ殿下との交流について菱川に話し、また姫であるジン・ジャンと会おうとした後は、王室に関連する施設が描かれる。

ジン・ジャンが幽閉されていた⑥薔薇宮は、現在も公開されておらず、筆者の訪問時も高い樹脂の壁で覆われていた。しかしタイ王室の作成した動画が公開されており、それによると、ラーマ五世がサオワパポーンシー女王との息子であるアサダーンデシャワット王子のために造ったドゥシッド宮殿の一部で、ラーマ六世が弟である同王子のために拡張し、国賓室などがある広範な宮殿とした。アサダーンデシャワット王子は、演劇を愛し、宮殿の中には劇場も造られる。薔薇宮の演劇はラーマ二世時代にあった王室演劇の様式を引き継いだことでも知られており、今でも薔薇宮の演劇教師が文化省芸術局に伝授している。[77] アサダーンデシャワット王子は軍人となり、海軍大将となった後、一九二四年に逝去した。作品内時間はラーマ八世の時代であり、「宮殿というにはあまりに小さい」「小体な二階建」の薔薇宮にジン・ジャンは幽閉されていたが、三島は「薔薇の木彫の腰板」、「薔薇形の紫硝子の小窓」、「二階の窓の薔薇の彫飾り」と、至る所に「薔薇」の装飾が施されているように描写し、建物の黄色も「すがれた黄薔薇の色」と表現している。

本多は、この薔薇宮で、⑦バンパイン離宮に行くことを提案される。バンパインには、ジン・ジャンが自分の祖母として紹介したスナンター妃の記念像もあるが、創作ノートには一切記されていない。創作ノートによると、三島は十月二十四日の一日だけで、①大理石寺院も③ワット・プラケオも訪れている。筆者はバンコク市内からバンパインに行くのに一時間半を要した。当時は今のような渋滞はなかったと考えられるが、それでも往復で二時間以上は必要だったと考えられることから、三島はバンパインの取材には殆ど時間をかけなかったと考えられる。三島は創作ノートに、「（支那宮の床は、花鳥、武道に白栗鼠、牡丹、宝石、宝、等の陶器の床なり。）」「支那宮の北京写しあり。フランス風の小亭あり。ルネサンス風の家あり。アラブ風の塔あり。水に臨みて階あり」と様々な宮殿の特徴を記すが、作中に記したのは池の上に建立されたアイサワンティップアート宮殿のみであった。例えば、三島が「支那宮」と表現したウエハースチャンルーン宮殿は、華僑から寄進された中国文化そのままの宮殿[78]であり、深紅で他の宮殿に比して強い印象を与え、三島も創作ノートの冒頭に記しているが、作品には「支那風の離宮」と一言しか出てこない。中国人が寄贈したワット・ポーの衝立やワット・ポー、またワット・プラケオの寺門などにある中国からの石像についても、三島は記していないのである。

おわりに

三島の蔵書目録において、タイ関係の書籍は九冊に上り、その発行年は作品内時間の昭和十六年前後に集中している。当時、日本では〈同盟国〉となったタイ関係の書籍の発行が相次いでいたが、三島が本多の訪問時のタイを描くために、意識的に当時の本を収集したとも考えられる。それらの書籍の多くが、巻頭にラーマ八世アナンダ・マヒドン王、次に摂政のアチット・アパー殿下の写真を収めていた。ラーマ八世の写真は、常に『暁の寺』のアチット・アパー殿下のように「白い軍服の上着に勲章をつけられ」たものであり、一方のアチット・アパー殿下は、濃色の上着であった。三島のタイ関係の蔵書と創作ノートの内容を比較し、書物から与えられた知識と実際に取材した成果がどのように作品に描かれているかという分析は、紙幅の関係で別稿に譲らなければならないが、本稿では外務省所蔵の史料や新聞、また筆者自身の現地調査の結果を創作ノートと比較することによって、作品内時間や発表時のタイの〈現実〉が、作品にどのように反映されているかを確認してきた。

バンコクの史跡の作品に登場する順番と三島の訪問した順はほぼ一致し、作品に表れる寺院や王宮以外は創作ノートに記されていない。つまり三島は、現地調査の前もしくは、十二日の到着後創作ノートに記し始める十六日までに〈書くべきタイ〉を決めていたと考えられる。それら寺院や王宮についても、ほぼ一つのみに焦点を絞って描写した。だからこそ、強い印象を与えられた中国文化の影響を受けた物や、バンパインにある完全なヨーロッパ風の宮殿を描かず、〈寺院〉を訪れながらも本尊(仏像)に言及したのはワット・ポーのみであった。他もタイらしい建築に他文化の様式を取り入れた大理石寺院、ハヌーマンを描いたワット・プラケオの回廊、インド仏教の影響を受けた暁の寺の塔、そして菱川が否定した、東洋文化と西洋文化が融合されたチャクリ宮殿を丹念に描写したのである。

また、これまで『暁の寺』に描かれた箇所が、三大寺院や王室関連施設であることから、本多が「観光客」にすぎないことが指摘されている。しかしそれらが〈書くべきタイ〉として選ばれたのは、作品内時間である昭和十六年と、三島が取材に訪れた四十年には二十五年もの時が流れていたからではないだろうか。三島が十六年当時について取材と調査を重ねたことは先述の通りだが、その二十五年の間に、日本は戦争、敗戦、占領、独立、そして戦後の経済的成長を経験、タイも国号が変わり、同じく経済的発展を遂げるなど、両国ともに大きく変化した。高層の建築物や西洋式の高級ホテルも多く増え、本多が見たであろうバンコクは、一部の限られた場所にしか残っていなかったのである。

ここで改めて指摘したいのは、本多が接したタイ人が王族とその周囲に限定されていることだ。さらに三島が描いた四寺院は全て第一級王室寺院で、王室との関係が非常に深い。タイで最も大きな〈寄進〉は寺院の建立とされてきたため、民間でも盛んに寺院が建てられる代わりに、参拝客が少なく朽ちていく寺も少なくない[79]。しかし三島が描いたような、王が建立したり遺骨が安置されたりしているような寺院は、信仰の対象として参拝客を集め、また見るべき建造物や宝物を有し、多くの観光客が訪れる名所であるのだ。

⑧の港は、飛行機が中心となった現代では貨物の輸送が中心であり、一般の渡航客が利用することがほぼないため、見学には申請が必要であった。またラーマ十世の即位後、見学不可の王宮が増えたものの、バンパイン離宮でも三島が見た光景を確認することができた。つまり作品内時間の本多が見た情景を、二十五年後の三島がそのまま共有できるものとして選んだ寺院や王室関連施設は、二〇一九年になっても全て現存しているのだ。〈観光地〉だからこそ、約八十年も変わ

らず存在し続けているのではないだろうか。

　また三大寺院のほかに、三島が大理石寺院を選んで書いた理由としては、作品に記されているように、昭和十六年当時最も新しい寺院であったからだろう。王により「華麗な」寺院が今なお建立されていることを強調し、殿下の参拝を描くことで、読者も仏教やタイ王室との深い関わりを認識できる。しかし、それだけではなく、三島の蔵書に同寺院を巻頭で紹介している書籍があること[80]、その前年の皇太子夫妻の訪問の際には、一般紙に写真が掲載されたことも指摘したい。これまでにも、三島は話題の土地を作品に取り入れてきたが[81]、「朝日」「毎日」「読売」の三紙で皇太子のタイ滞在中に写真入りで掲載されたワットは、大理石寺院のみであった。

　これまで、『豊饒の海』にタイが書かれた理由について、様々な指摘がなされてきた。だが、登場するタイ人が王族かつ留学生であることや作品発表時を視座とすると、『豊饒の海』に描かれた時代、すなわち日本の国の〈近代〉を「異国」との関わりから明らかにし、読者にリアリティをもたらすものであったと分かるのである。

（東京医科歯科大学　教養部　文学分野　教授）

注1　森川達也「解説」（三島由紀夫『暁の寺―豊饒の海・第三巻―』、昭52・10・30初版、引用は第63刷、平30・12・10、新潮文庫）426頁。

2　「『暁の寺』の二つの時代―三島由紀夫のタイ国取材の足跡から―」（『松本常彦、大島明秀編『九州という思想』九州大学大学院比較社会文化研究院、２００７・３』など。

3　国立公文書館アジア歴史資料センター、レファレンスコード B12082179800 在暹臨時公使公使館一等書記官国広寺新作作成「機密第二十一号 本部留学暹羅画学生ニ関コル件」（１８９９・1・13〜14）

4　「社説　暹羅皇太子殿下」（「東京朝日新聞」１９０２・12・16）

5　「芝離宮行幸、暹羅皇太子」（「東京朝日新聞」１９０２・12・18）

6　「暹羅皇太子滞京彙報」（「東京朝日新聞」１９０２・12・23）

7　「芝離宮の御覧相撲」（「東京朝日新聞」１９０２・12・22）。滞在中、このような記事が掲載されない場合も「内国電報」の欄に訪問先や迎える側の準備態勢などが毎日報道されている。

8　例えば筆者の大学院時代からのタイ人の友人、Narumol Utarncul 氏のご両親の新婚旅行先は東京と日光、京都、奈良であった。氏はその日光訪問の理由として、ラーマ六世の皇太子時代の来日を挙げ、日本の観光地としてタイで一般に認識されていたと述べている。

9　「暹羅留学生の着京」（「読売新聞」１９０３・5・24）

10　注9に同じ。
11　国立公文書館アジア歴史資料センター　レファレンスコード B02031631300「暹羅国情ニ関スル資料送付ノ件」（１９３４・３・19作成）
12　矢野暢「チャクリー改革」論序説(1)―ラーマ四世と「近代化」―」（「東南アジア研究」30(1)、１９９２）
13　赤木攻「タイ国の近代化過程における海外留学―絶対王制との関連において」（「国立教育研究所紀要」(94)、１９７８・３）
14　注11に同じ。
15　久保田裕子「近代日本における〈タイ〉イメージ表象の系譜：昭和10年代の〈南洋〉へのまなざし」（「立命館言語文化研究」21-3、２０１０・１）
16　赤木攻「ラーマ七世」（『タイ事典』（２０１９・９・10、めこん）４０３頁。
17　１９３１（昭和６）年1月31日付「東京朝日新聞」「シャムの両陛下　おそろひでご来訪」との報道があってから、前年にシャムを訪れた少年団八名が神戸港で迎えることなど訪日関係の記事だけではなく、シャムの国情を数日にわたって連載する企画などがあった。
18　「シャム国留学生協会」（「東京朝日新聞」１９３６・６・24）
19　「シャム皇令甥御入京　歯科医学御研究」（「東京朝日新聞」１９３６・10・18）
20　「我が警察精神を会得　教習所を修了したシャムの三君」（「読売新聞」１９３８・１・14）
21　「シャム潜水艦出発　二年間習ひ覚えた日本式航法で母国へ」（「読売新聞」１９３８・６・６）
22　「シャムから留学に四女性」「読売新聞」１９３８・10・29）
23　「日泰友好の殿堂　留学生指導機関生る」（「朝日新聞」１９４０・９・25）
24　一般紙のワンワイの呼称には、「首席全権（名前）殿下」と「全権（名前）殿下」の二種がある。
25　「ワンワイ殿下も春霞の空を満喫　グライダー発会式に出席」（「読売新聞」１９４１・３・31）
26　「春に祝ふ泰国学徒の集い　ワンワイ殿下を囲んで」（「読売新聞」１９４１・３・25）
27　「妃殿下をも招いて　宿願の桜満喫　ワンワイ殿下、感激の帰国を前に」（「読売新聞」１９４１・３・18）、など、各紙が一家の写真入りで報道している。
28　嶋津拓「三島由紀夫著『豊饒の海』とタイの留学生：「シャムの王子」たちのモデルは誰か」（「埼玉大学日本語教育センター紀要」８、２０１４・３）
29　「ワンワイ殿下、学習院を見学」（「読売新聞」１９４１・５・７）
30　「ワラワン殿下の王子」（「朝日新聞」１９４２・４・24）
31　「共栄圏からの留学生　六割は科学系志望　泰国」（「朝日新聞」１９４３・１・10）。同記事によると当時のウィブンは「国際学友会の日本語学校」で学んでいるという。
32　「思いは遠く祖国の危機へ　可憐六つの魂　泰首相の令甥を囲んで」（「読売新聞」１９４１・８・15）

33　注23の記事によると、男性百名、女性三十名が日本に留学中とある。

34　国立公文書館アジア歴史資料センター、レファレンスコード B03050304500 西源四郎作成「7 暹羅外交行政改革及顧問制度ニ関スル件 2 文部省」（1916・7・22）

35　外務省官吏研修所「外務省員の米国留学に関する件（案） 自昭和23年9月」（1948・9・8作成）

36　「女子も27名　渡米留学生142名本決まり」（「読売新聞」1949・12・21）

37　「留日米学生第一号　禅の研究に軍服脱いで再来日」（「読売新聞」1950・8・20）

38　終戦連絡東北事務局長　大江晃から終戦連絡中央事務局総裁　芦田均への文書。1947年8月22日付、外交史料館蔵。

39　この部分はいずれも外交史料館所蔵「在本邦諸外国留学生関係　タイ人の部　第1巻」と「同　第2巻」で確認。貴重な資料を閲覧させていただいたことに感謝したい。

40　注15に同じ。

41　注2、15など。また青木保、田中優子対談「三島由紀夫をめぐって―「暁の寺」そしてアジア」（「国文学　解釈と教材の研究　三島由紀夫を読むための研究事典―没後20年」35-4、1990・4）で「三島ほどアジアを描いた作家はいない」と青木保が発言している。

42　「タイ国王　来月27日ご来日」（「朝日新聞（夕刊）」1963・4・11）

43　「タイ国王　あす来日」（「朝日新聞（夕刊）」1963・5・26）

44　「タイ国王迎えて宮中晩さん会」（「読売新聞」1963・5・29）

45　覚王山日泰寺公式ホームページ「日泰寺略記」http://nittaiji.jp/kakuouzan/index.html

46　外務省公式ホームページ「日泰寺」https://www.mofa.go.jp/mofaj/area/thailand/jpth120/knowledge/temple.html

47　「朝日新聞」を例にすると、「京都にお泊り」（5・31）「平等院ご見物」（5・31夕刊）、「大仏さんとご対面」（6・1）、「金閣寺などご覧」（6・2）、「長良川のウ飼をご見物」（6・3）など。

48　「ご作品の演奏会　タイ国王、両陛下など招かれ」（「読売新聞」1963・5・30）

49　「タイ国王大いに語る」（「読売新聞」1963・6・4）

50　「活気に満ちた首都　変わらぬ〝親日家〟バンコク」（「読売新聞（夕刊）」1963・5・30）

51　「今日の問題　タイ国王」（「朝日新聞（夕刊）」1963・6・5）

52　「12月14日にタイ訪問　21日まで　皇太子ご夫妻」（「朝日新聞（夕刊）」1964・8・18）

53　「沿道にずらり日の丸　皇太子ご夫妻迎えるタイ国　『皇室番組』を連日放送」（「朝日新聞」1964・12・14）、「皇太子ご夫妻あすタイ訪問　歓迎気分いっぱい　『日本ブーム』のバンコク」（「読売新聞（夕刊）」1964・12・13）など。

54 「今夜、タイからお帰り　皇太子ご夫妻　すばらしい人気」（「毎日新聞」１９６４・12・21）

55 「長グツ姿で魚市場へ　バンコクの皇太子さま」（「朝日新聞」１９６４・12・16）

56 「メナム川で舟あそび」（「朝日新聞」１９６４・12・18）

57 「朝日」「毎日」「読売」の各紙を確認。共同通信配信記事が多いため、記事の内容は同一であるが、写真は各紙で異なる場合もあった。

58 「皇太子ご夫妻に子ゾウ　贈呈式でメナム君とご命名」（「読売新聞」１９６４・12・16）では、「代表の中には、明治三十六年に日本に渡り、その後四回にわたって十八年間も日本で学んだという「留学生第一号ルアン・チャルーンさん」が流暢な日本語で話しかけ、皇太子夫妻に驚かれたことなどが紹介されている。

59 「子象は上野へ　皇太子ご夫妻への贈り物」（「朝日新聞」１９６５・４・14）

60 「浩宮さま」（「週刊明星」8-46、１９６５・11・17）

61 外交史料館所蔵「皇太子及び常陸宮両ご夫妻タイ訪問記念　在日タイ留学生日本語弁論大会」（１９６６・３・13）の大会プログラムより。

62 注54に同じ。

63 「王宮周辺」（「地球の歩き方」編集室『地球の歩き方 D18　バンコク　２０１９～２０２０年版』２０１９・６・26、ダイヤモンド・ビッグ社）122頁。

64 徳岡孝夫「第四章　バンコクで再会」（『五衰の人　三島由紀夫私記』（１９９９・11・10、文芸春秋）89頁。

65 気象庁ホームページ「地点別データ・グラフ　タイ」
http://www.data.jma.go.jp/gmd/cpd/monitor/climatview/graph_mkhtml.php?n = 48455&y = 2020&m = 1

66 本文における「タイ人」の意識、また日本のガイドブックに掲載されていない寺院などの情報については、Rawinan Niramol 氏へのインタビューによる。インタビューは、タイ取材前と取材中（２０１９年９月14～16日）に数度実施した。

67 「ワット・ベーンチャマボピット」（注63に同じ）、148頁。

68 タイ国政府観光庁公式ホームページ「ワット・ベンチャマボピット」
https://www.thailandtravel.or.jp/wat-benchamabophit/

69 「ワット・ポー」（注63に同じ）、１３０頁。

70 注63に同じ。

71 注63に同じ。

72 タイ王室公式ホームページ「ワット・プラケオ」
https://www.royalgrandpalace.th/th/discover/architecture

73 島崎博、三島瑤子編『定本　三島由紀夫書誌』（１９７２・７・15、薔薇十字社）468頁。

74 マンダリンオリエンタル・バンコク公式ホームページ「オーサーズ スイート」
https: //www. mandarinoriental. co. jp/bangkok/chao-phraya-river/luxury-hotel/accommodations/suites/authors-suite

75 同「オーサーズ ラウンジ」
https: //www. mandarinoriental. co. jp/bangkok/chao-

phraya-river/fine-dining/tea-rooms/the-authors-lounge

76　能登志雄「第六編　国家及び文化」（『タイ国地誌』１９４１・７・15）、360頁。

77　พระราชวัง และวังในประเทศไทย วังสวนกุหลาบ（邦訳　タイの王宮と宮殿　薔薇宮）

https://www.youtube.com/watch?v = dMGsR44mNkk

78　筆者がバンパイン宮殿で購入した「バンパイン宮殿」（奥付なし）12頁による。

79　日タイ和親条約の締結直後、タイの紹介記事として「タイ国だより　僧の数、兵の七倍　世紀の嵐〝寺の増築禁止〟」（『読売新聞』１９４０・６・19）と述べられている。

80　注76に同じ

81　拙稿「三島由紀夫『絹と明察』論」（日本近代文学会関西支部編『近代文学のなかの〝関西弁〟：語る関西／語られる関西』２００８・11、和泉書院）

〔付記〕　本文に引用した三島由紀夫の文章は『決定版　三島由紀夫全集　全42巻　補巻　別巻』（平12・11・25〜平18・3・25、新潮社）を底本にした。

　またホームページからの引用は、いずれも２０２０年1月15日に閲覧した。

　本稿のためのタイや外交史料館での調査は同志社大学特定研究奨励費による。

〔謝辞〕　タイでの現地調査や本稿の執筆にあたり、金沢大学大学院研究生 Rawinan Niramol 氏にお世話になった。氏はかつて筆者の本務校であった同志社大学日本語・日本文化教育センターに留学し、タイでは旅行会社に勤務していた豊富な知識をふまえ、案内や通訳、資料の翻訳を務めてくれた。今回の筆者の現地取材に備えて『豊饒の海』全巻を読破し、準備を重ねてくれたことにも、併せて深謝したい。

　また、使用の写真については、マンダリン・オリエンタルバンコクの Director of Communications, Patty Lerdwittayaskul 氏にご尽力いただいた。お礼を申し上げる。

特集『豊饒の海』の時代

小説『蘭陵王』の真実

関河眞克

一

三島由紀夫氏は、最後の短編小説となる『蘭陵王』を昭和四十四年八月三十日に擱筆すると、同じ日の内に、原稿用紙を用いてその小説の作中人物であるS宛への書翰を認めた[1]。

前略
先般は洵に御苦労様でした。
横笛の一夜は実に感動的でした。
短篇が出来たので、原稿は「群像」へ送り、同時にコピーを大兄に送ります。早く讀みたいだらうと思つたので、不体裁乍ら原稿のままで。
但し、大兄にいかなる不満があらうとも、一字一句訂正しません。たとへプライバシー裁判を提訴されても！
小生にとつては気に入つた小品ができました。全く大兄のおかげです。楯の会をはじめてから、楯の会に材を得た作品ができたのはこれがはじめてです。全く蘭陵王のおかげです。
記念に横笛を一本進呈したいのですが、困つたことに東京では手に入らず、又、小生が見つけて進呈しても大兄の気に入らねば、何にもなりません。御手数ですが、京都で入手されて、送金方御一報下さらないでせうか？　笛作りへ、直接小生から送金、大兄のお手に入るやうにしたいと思ひます。何卒よろしく。
例会への御出席の節、又　萬々
八月三十日
三島由紀夫
関河眞克大兄

この書翰と同封された原稿のコピーは、速達で九月二日に

S、すなわち私の手元に届けられた。
小説の作中人物が、その向う側から現実世界に飛び出して来るには、五十年もの年月《としつき》が必要であった。
本稿の起筆を促したものは、『蘭陵王』を扱った論文に見受けられる誤解である。周知の如く、小説『蘭陵王』は原稿用紙十五枚の小品ながら、『群像』十一月号の巻頭を飾った外、発売月の昭和四十四年十月の新聞紙上の文芸時評や学芸欄の書評を嚆矢として、その後も幾つかの作品論や論文が発表され続けている。その中には小説に関わる事実認定が、主として文献でしかできないことに起因する誤解が複数認められる。だが、その誤解たる所以を明らかにできるのは、小説の中の当事者を措いて外に誰も成し得ない。作中人物の私も古希を超えた現在、もし私が昭和四十四年八月二十日の真実を書き記しておかなければ、その誤った解釈は永遠に『蘭陵王』の研究史上に訂正されないまま残ってしまうだろう。そのことが私を現実世界に押し遣った由縁である。

二

小説の読解に際して、事実と虚構の関係性に着目して考察することは、文学研究の有力な方法のひとつである。そこでここからは、『蘭陵王』本文と事実との関係を審らかにして今後の文学研究に資するとともに、関連する論文や論評について言及することにしたい。

563頁[2]
【本文1】　一行目〜二行目
八月二十日、私どものやつてゐる楯の会は、新入会員の卒業試験ともいふべき小隊戦闘訓練を、炎天の富士の裾野で行つた。[3]

小説の舞台は静岡県の富士の裾野に広がる陸上自衛隊の演習場、及び御殿場市中畑に在る滝ケ原分屯地（現駐屯地）である。その地で昭和四十四年七月二十六日から八月二十三日まで、楯の会への入会を志す大学生たちの体験入隊が実施された。訓練では、小銃技術訓練・執銃訓練に始まって、分隊訓練・小隊訓練、各個戦闘訓練・班戦闘訓練、更には戦術に至るまでの軍事訓練が体系的に施された。八月二十日は、それらの訓練の集大成となる小隊戦闘訓練が行われた特別な日であった。
「八月二十日」に関しては、永田満徳が安藤武著『三島由紀夫研究年表』を調べたうえで、「『八月二十日』と明記していることは何らかの意図があったのだろうか」との問題意識を呈している。[4] しかしこれは、八月の記事に三島氏の体験入隊の記載がないため、同書の九月の項に「御殿場陸上自衛隊滝ケ原分屯地に体験入隊」（297頁）とあるのに着目して、実際の体験入隊を九月と誤解したことから生じた問題意識である。[5]
ところが小説の題材となった体験入隊は確かに七月二十六日

から八月二十三日にかけて行われており、同書の296頁の一行目にもその旨が記載されているから、永田の問題提起は全く意味を成していない。

【本文2】六行目~七行目

水の上へ庇のやうにさし出された雑木の枝が、幾重にも累ねてゐる影の繁茂のうち、いちばん日に晒されてゐる枝に蛇が寝てゐた。

この本文は、三島氏が「その午前中の行軍の途次」で実際に見た光景を基に描かれている。私はその現場に居合わせてはいなかったが、蘭陵王の曲を吹いた八月二十日の夜に、氏から蛇を見た時の光景について具に聞いたから、蛇に関する一連の記述は事実に即したものであると断言することができる。

564頁

【本文3】一行目~三行目

正しい進路がわかつたので、小隊はその山間の小径から引返し、夏野のあひだの広い道へ出た。野は撫子、露草、薊の花々に彩られてゐた。

小隊が行軍の途次進路をまちがえて小停止し、その後正しい進路に引き返したのは実際の経緯であるが、野に咲く「撫子、露草、薊の花々」に関しては、小隊指揮に集中していた私には花々にまで目配りするゆとりはなかった。しかし、「『蘭陵王』創作ノート」の八月二十日の日録には、「撫子、露草、あざみの花ざかり」との記述があるから、三島氏の実見に疑問の余地はない。[6]

三

【本文4】四行目

この行軍と午前中の攻撃の小隊長は、京都の或る大学から来たSが勤めた。

この一行も事実そのままが綴られている。

この時点で京都の大学には都合五人の会員がいた。私はアルバイトなどで東京への旅費や滞在費を工面していたから、保坂正康の「関西の会員は、月一回の定例会議に出るために東京に出てくるのであったが、その旅費、滞在費などはすべて三島のポケットマネーでまかなわれた」との指摘は真実ではない。[7]

【本文5】五行目

Sは長身で健康だつたが、いかにも烏帽子狩衣が似合ひさうな顔をしてゐた。

長身で健康だったことは間違いないが、「いかにも烏帽子狩衣が似合ひさうな顔」であったかどうかは三島氏の主観に基づく表現。参考までに、昭和四十五年の葵祭に参加した折の私の写真を掲載した。

烏帽子狩衣姿の筆者

【本文6】五行目〜十二行目

　そのSが、横笛を能くして、長岡のある寺であひびきをしたときに、先に行つて寺で待つてゐて、自分の吹く横笛で、女に所在を知らせたといふ話が私の記憶に残つてゐた。又、なぜ横笛を習ふ気になつたのか、といふ私の問に答へて、能の「清経」のやうに、

「人にはいはで岩代のまつことありや暁の、月に嘯く気色にて船の舳板に立ち上り、腰より横笛を抜き出だし、音も澄みやかに吹きならし今様を謡ひ朗詠し、来し方行く末をかがみて終にはいつかあだ波の」

　と謂つた最期を遂げたいからだ、と答へたことが心に残つてゐた。

四

三島氏は昭和四十四年四月十六日より、銀座のサロン・ド・クレールで毎週水曜日の午後三時から五時まで楯の会会員と懇談する場を設けていた[8]。楯の会の持丸博事務局長との面接を経て、既に体験入隊の内諾を得ていた私は、同年の六月にそのサロン・ド・クレールに赴き、三島氏との最終面接を兼ねた懇談の席に臨んだ。本文6のSに関する二つのエピソードは、私がこの面談の際に語った話を三島氏は正確に記憶していて、それをそのまま小説に記したものである。

【本文7】十五行目（直前の一行分の空白行も行数として算定、以下同じ）〜次頁三行目

　その日の演習で汗と埃にまみれたのち、帰営して喰べる夕食は美味しく、入浴は快かつた。

　私は全身の汗と泥を、……（中略）……。皮膚のよみがへりとその清さは、その円滑で光沢ある不可侵性によつて保障されてゐるのだ。それがなければ、私たちは一

つの悪い夢から覚めることもならず、汚濁も疲労も癒やされず、すべてはたちまち累積して、私たちを泥土に帰せしめてしまふであらう。

普通であれば入浴して汗を流してから夕食を摂るところである。だが、陸上自衛隊の夕食時間は午後五時二十分から六時迄の間に限られているから、その順番が普通とは逆にならざるを得ず、入浴は夕食の後である。

皮膚の不可侵性についての記述は、平素よりボディビルディングに剣道や空手などで汗を流していた三島氏ならではの述懐である。

565頁

【本文8】五行目

浴場のかへり、空を稲妻が横切つた。

後段にも「稲妻がひらめいた」とある。だが「創作ノート」の八月二十日の日録には稲妻の記述はない。

【本文9】六行目～七行目

何一つ装飾のないこの部屋が私の気に入つてゐた。

三島氏は楯の会の隊長としての入隊であるから、入営中は隊舎の大部屋に居住する楯の会の学生隊員とは異なり、隊長室が割り当てられていた。「何一つ装飾のないこの部屋」の具体的な様子は八行目から十一行目に詳述されている。だが実のところ、氏が最も気に入っていたことは、部屋に電話機がなかったことである。云うまでもなく昭和四十四年当時に携帯電話は存在していなかったから、氏は「ここ（滝ヶ原分屯地）に来ると電話が一切架かって来ないのがいい」と公言していた。つまり、滝ヶ原に来ると、氏は俗世間から確実に隔絶された環境を手に入れることができたのである。本文9には、そうした氏の本心が込められている。

この観点からすると、中村光夫の「まず作者が主動者として参加している演習、宿営の描写があり、その手放しな軍隊礼賛は、戦前に生れて多少その実体を知っている読者を苦笑させます」との批評は極めて皮相的であると云わざるを得ない[9]。それよりも寧ろ、島内景二の「文壇で忙しく活躍する三島にとって、『体験入隊』は、一種の『出家』だったのだろう」との指摘が本質を衝いている[10]。

五

【本文10】十五行目から十八行目

ドアの向うに声があつて、錦の細長い袋を携へたSが入つてきた。さつきSが、今夜私に横笛を聴かせたいと言つてゐたので、入浴後やつて来るがいい、と言ひ置いた私は、烈しい演習のすんだあとの夜こそ、横笛を聴くのにふさはしい、と思つてゐた。

三島氏が八月二十日の夜を「横笛を聴くのにふさはしい、と思つてゐた」理由は、この日に「陣地攻撃、三回にわたる匍匐前進や突撃」などの「烈しい演習」が実施された日であったからである。謂わば「武」の極致に当たる日であった。だとするとそれと同じ日に、その対極にある横笛の音を聴く「雅」が強く求められたのではないだろうか。

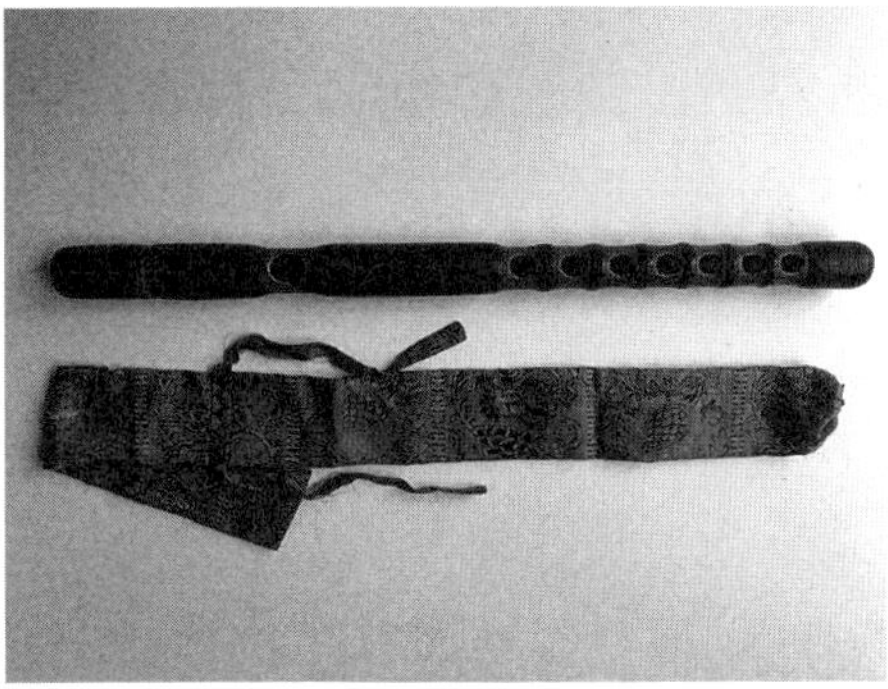
龍笛と錦の袋

否、真実はもっと深いかもしれない。すなわち、氏は小隊戦闘訓練の日に私の横笛を聴こうと決めると同時に、自衛隊関係者とも相諮って当日の小隊長に私を指名することにより、「優雅と武士の伝統の幸福な一致」を成就させようと遠慮を巡らしたのかもしれない。[11]

ところで、阿部孝子が『全集』20巻に所収された「蘭陵王」創作ノートを根拠として、「野で蛇を見たのが八月二十日、『蘭陵王』の吹奏を聞いたのが八月二十三日になっている」と述べて、この夜を二十三日の出来事としている。[12] しかし、これは創作ノートの編集の仕方が惹起した誤解である。すなわち、780頁以降の蘭陵王取材メモは二十日に書かれたにも拘わらず、779頁の最終行である「23日」の日録の「（前略）大粒の雨に打たれたり。」に続く一連の記事であるかのような編集となっていることが、阿部を誤解へと導いたのである。

では、取材メモがなぜ二十日の夜のことだと云えるのか。それは、笛の吹奏が始まるや否や、三島氏が大学ノートに猛烈な勢いでペンを走らせるのを私は直接目撃しているからである。また、例えば782頁の横笛の持ち手を描いた図は、笛の演奏後に三島氏が私の龍笛譜の図から写し取ったものであることからも客観的に証明できる。つまり、日録と取材メモとは、全く別個の頁に記載されたものであることを指摘しておきたい。

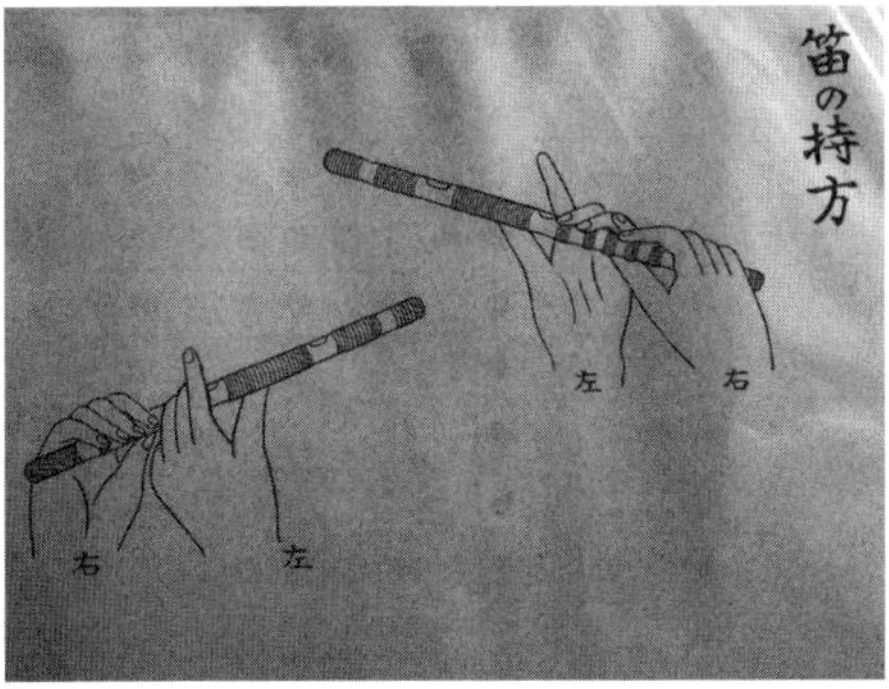

龍笛譜の笛の持方図

566頁
【本文11】二行目～七行目

　みんなは小隊指揮がいかにむつかしいかといふこと、……（中略）……。そして、非常にすぐれた指揮能力とは、勇猛であると共に、おそらく優美なものであらう、と一人が言つた。

　この時点で三島氏の部屋には、私を含めて五人の学生が集まっていた。話題が専らこの日の小隊戦闘訓練に纏わるものになるのは自然の成り行きで、その折語り合った内容が列挙されている。そして小説では、学生の一人がこの話題の掉尾を飾るように「非常にすぐれた指揮能力とは、勇猛であると共に、おそらく優美なものであらう」との発言している。しかし、私の記憶ではそうした発言は実際のものでは無く、これは指揮能力に関する三島氏の煌びやかな論評を、一人の学生に仮託して語らせたものと考えられる。

【本文12】十行目～十七行目

　雅楽に使ふ横笛を、私が手にとつて見るのははじめてである。

　笛は武器とはちがつた軽やかなしつとりとした重みを指に伝へた。重みそのものに或る優美があつた。百五十年も前に伐られた竹が笛材に使はれて、……（中略）……。たとへば雅楽で黄鐘調といふときには、この黄鐘の音を宮音とする調を斥すのである。

　龍笛の頭《かしら》部分には少量の鉛が中に埋め込まれている。吹口を中心として笛の左右のバランスを取るためである。従って笛は見た目以上の重さを手に伝える。その時に感じた重みを、三島氏は「武器とはちがつた軽やかなしつとりとした重み」と表現している。

　続いて私は笛を手にした三島氏に、笛はどのように作られ、どんな音階なのかについて解説をした。この段落にはそうした内容が概ねそのまま記述されている。ところが、手許の原稿コピー（以下単に原稿と略す）と『全集』[13]との異同を調べると、三ヶ所に書き直しが施されている。本稿冒頭に掲載した三島氏の書翰に、「大兄にいかなる不満があらうとも、一字一句訂正しません」との表明にも拘わらず、創作とは無関係な箇所については私からの具申による訂正がなされていることが確認できる。

六

567頁
【本文13】二行目～三行目

　Sは何の曲を吹かうかと迷つてゐたが、名曲と云はれる「蘭陵王」を聴かせてくれると言ひ、少し長いが、と断つた。

横笛にも曲によって演奏難易度の違いがある。迷っていたのは、「蘭陵王」の曲の冒頭部が、笛の演奏法で「ヒィチ」と称される難しい手遣いが連続するからである。生半可な息入れでは鳴らないし、かと云って目一杯に吹くと息が続かない。だからもっと吹き易い別の曲にしようかどうか、たまゆら逡巡したのである。しかし、曲の由来を考慮するとこの曲しかないと意を決して吹いたのが「蘭陵王」であった。演奏時間は凡そ八分位の曲である。

【本文14】四行目~十四行目

舞楽に使はれる蘭陵王の面は、顎を別に紐で吊り下げ、竜を象つた怖ろしい相貌で名高い。これは人も知るとほり、北斉の蘭陵王が、……(中略)……。却つて周の大軍を、金墉城下に撃破して凱旋したのである。……

ここに記された「蘭陵王」の面や舞楽の由緒については、私からの情報をもとに三島氏が文献などで調べ上げたうえでの記載である。

【本文15】十六行目~十八行目

Sがいよいよ笛の吹口を唇に宛てたとき、私は何気なしに、目をあけはなたれた窓へ遣つた。そのとき窓外の闇には稲妻がひらめいた。私はその稲妻に一瞬照らし出される広大な富士の裾野の夜に、昼間見た撫子や露草や薊の花は、どんな色合で浮み上るかを思ひみた。

この時私は笛に全神経を集中していたから、稲妻が本当に閃いたか否かについての記憶は定かではない。従って確かなこととは云えないが、稲妻は閃いてはいなかったのではないかと思う。

なぜなら、「何一つ装飾のないこの部屋」に「すがれた野の色の戎衣を着た」五人の聴衆と一人の吹き手が集う情景には、初秋の夜を綾どるものが何一つないこと。更には、本文3に「野は撫子、露草、薊の花々に彩られてゐた」と花々の描写が配されており、本文8には「空を稲妻が横切つた」と綴られ、両者が前段を形作るように周到に用意されているからだ。つまり、仮構の稲妻が秋の花々を浮かび上がらせ、それが笛を聴く夜に優美さをさし添えているのである。

568頁~570頁

【本文16】568頁一行目~570頁八行目

Sははじめ短かい音取を吹いたのち、蘭陵王の吹奏にかかつた。

するどい序奏は、嚠々と耳を打つ高音ではじまつた。

……（中略）……。

そして気がついたときは、笛の音は二度と引返せない或る深みへわけ入つてゆくところだつた。その笛の音の蒼々たる滑らかな背中を私は認めた。どんな心情の深みであるかは知れぬが、おそらく心情をつきぬけて、さらに深い透明で幽暗な堺へ入つてゆき、それが私たちの世界を突然鷲づかみにし、子供が掌の中で何気なく握りつぶす酸漿のやうに、それを押しつぶしてしまふ。……

この本文を原稿で確認すると、ほぼ四枚強分の升目を占めている。原稿は全部で十五枚であるから、凡そ三分の一程度の枚数が横笛の演奏描写に割かれている。そして、音そのものを言葉で表現するのは只でさえ困難であるのに、三島氏は言葉を縦横に操ってその困難を乗り越え、読む者の耳朶に笛の音を見事に鳴り響かせている。

笛の音について、一流作家の手でこれ程長文に亘り叙述されたことは、日本文学史上空前絶後であることもこの機に指摘しておきたい。(14) 例えば古代物語の代表作である『源氏物語』の椎本巻には、

「笛をいとをかしうも吹きとほしたなるかな。誰ならん。昔の六条院の御笛の音聞きしは、いとをかしげに愛敬づきたる音にこそ吹きたまひしか。これは澄みのぼりて、ことごとしき気のそひたるは、致仕の大臣の御族の笛の音にこそ似たなれ」など独りごちおはす。

との一文が綴られているが、原稿用紙の六行分程度に過ぎないことを勘案すると、三島氏が如何に心血を注いで笛の音について書き綴ったかがよく理解できる。『蘭陵王』は、横笛の音に接して心を鷲摑みされた感動を描いた小説だと云っても過言ではない。

尚、この段に描かれた笛の音の美については、別稿に詳述したので詳細についてはそちらに譲りたい。(15)

七

570頁

【本文17】十四行目〜十七行目

Sも喜んで、横笛にまつはるいろいろな話をした。

雅楽の演奏の際、横笛の音は篳篥の音のまはりを、あたかもくねつてまつはる蛇のやうに纏綿するので、これを竜笛といふ、とのSの話は、たちまち私に、今朝見た樹上の蛇の姿を想起させた。

龍笛の由来を話し終えたところで、三島氏が間髪を入れずに目を輝かせて朝見た蛇の件を私に語ったのが、まさにこの時である。(16) ところが、克明にこの一文を辿ってみると、私が「竜のやうに」纏綿すると述べたものを、三島氏は「蛇のやうに」と巧妙に置き換えていることが分かる。(17) 無論これは、

朝見た蛇と結び付けるための三島氏の作意である。だが、小説の内側では問題ないとしても、現実の世界に引き戻すと、私が三島氏に出鱈目な説を聞かせたと云うことになってしまう。三島氏はこの問題を充分認識していたようで、冒頭部に掲げた書翰に、「大兄にいかなる不満があらうとも、一字一句訂正しません。たとへプライバシー裁判を提訴されても！」とわざわざ大仰に記している。

　横笛にまつわる色々な話に関する三島氏のメモは、「『蘭陵王』創作ノート」781頁の二十行目から次頁の十六行目に掛けて掲載されている。私が持参していた龍笛譜の頁をパラパラとめくりながら、目に留まった曲名などをメモしたものである。龍笛の図は私の目の前で譜面から写し取ったものである。

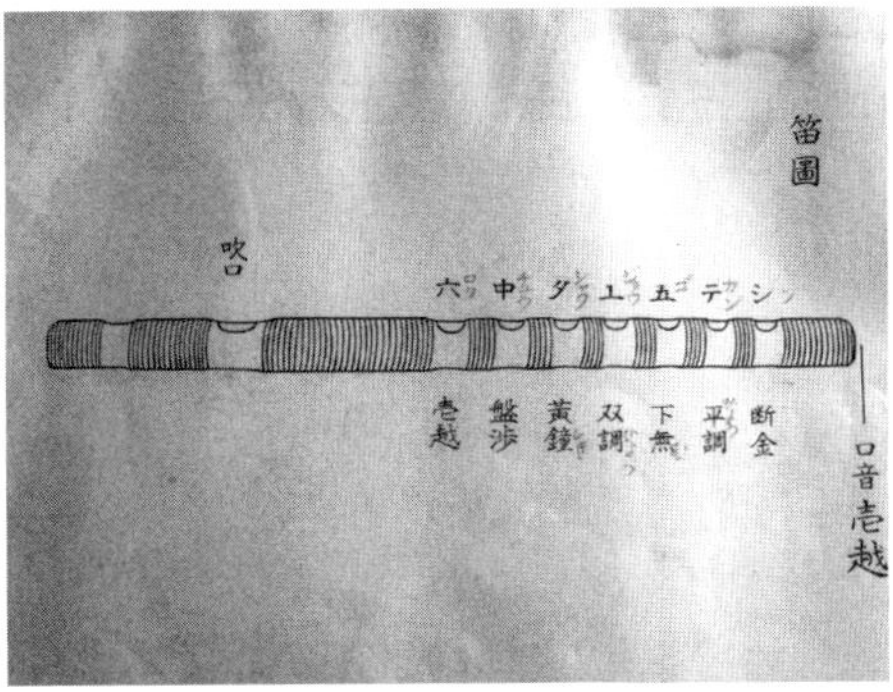

龍笛譜の笛図

【本文18】十八行目〜次頁四行目

　又Sは、何時間もつづけて横笛を練習すると、吐く息ばかりになるためであらうか、幽霊を見るさうだ、といふ話をした。

　君は見たか、と私は問うた。

　いや、見たことがない、幽霊を見れば一人前だと言はれてゐるが、まだ見たことがない、とSは答へた。

　この遣り取りの一文も実際の会話によったものである。それから凡そ半世紀もの年月が流れたが、私はついに幽霊を見ず仕舞いである。

571頁

【本文19】五行目〜六行目

　しばらくしてSは卒然と私に、もしあなたの考へる敵と自分の考へる敵とが違つてゐるとわかつたら、そのときは戦はない、と言つた。

　ここに至るまで、この小説の文章を仔細に検討して来た結果見えて来ることは、ごく一部の例外を除けば、すべてが事実を素材にして淡々と書き記されいると云う事実である。管見によれば、仮構が施されていたのは僅かに、本文8と15の稲妻の閃光と、本文11の指揮能力に関する一学生の発話、それと本文17の「竜」から「蛇」への改変のみである。しかも小説としては、まことに慎ましい仮構だ。こうした小説作法《さくほう》からすれば、掉尾を飾るこの一行も当然事実に即した文脈であると誰しもが思うだろう。しかし、ここに三島文学の奥義が隠されていた。

三島氏は「私の小説の方法」の中で、短編小説では最後の場面のイメージが「ただの場面としてではなく、はつきりした強力な意味を帯びて来ることが必要」であると述べている[18]。そのうえで、「同時に視覚的な一場面がうかんで来ると、それは視覚的でありながら、音楽的な感動を私によびおこす」と続けている。ならば、『蘭陵王』の最後の場面はどのように考えればよいのだろう。

話は少し遡るが、私は体験入隊をするに当たり、三島氏に聞かせるべく雅楽で用いる龍笛を携えて家を出た。その時点では、もし私の吹く横笛の音を三島氏が解せないのなら、氏が主宰する楯の会は偽物に過ぎないのではないか、と考えていたからである。若さは実に不遜である。

滝ヶ原分屯地に入営した二日目の七月二十七日は隊務のない日曜日で、三島氏が新入会員を一人づつ隊長室に呼び入れて個人面談を行う日に当てられていた。私は当然この席で笛を持参してきたこと、機会があればそれに耳を傾ける機会を設けて欲しい旨を申し述べた。そして面談が終わる頃、私は家を出立した時の思いを直接口にする代わりに、不遜にも「もし三島さんの考える敵と自分の考える敵とが違つたら、そのときは会を辞めます」と告げたのだった。

翌二十八日に楯の会の正式な体験入隊式があり、多忙な三島氏は二十九日には東京へ戻った。再び氏が滝ヶ原の土を踏んだのは八月十七日の夜である。今振り返ればその間、もしかすると私の言葉が棘のように三島氏の胸のどこかに刺さっていたのではないかとの思いが去来する。

そうして迎えた八月二十日。三島氏は笛の音に音楽的感動を覚えて猛烈な勢いでペンを走らせた。そして数日後に七月二十七日の面談が最後の場面として「はつきりした強力な意味を帯びて来」たうえで、同時に氏に音楽的な感動を呼び起こしたのではないだろうか。その軌跡を如実に示しているのが、「『蘭陵王』創作ノート」の781頁に記された「純粋日本の音（＝横笛の音：筆者注）」と「あなたの考へる敵と自分の敵とがちがふ敵なら戦はぬと云つた」との二つのメモ書きを結んだ棒線である[19]。最後のフレーズが、実際にはこの時点でのものではなかった事実を考慮すると、この場面は三島氏の「小説の方法」の言葉通りの方法によって書かれていることが分かる。

八

『蘭陵王』の読解を終えるに当たり、この小説の誕生秘話を披露して本稿の締め括りとしたい。

昭和四十五年九月十日、楯の会の一団が新宿から小田急のロマンスカーに乗車して御殿場に向かっていた。この日から始まる二泊三日のリフレッシャー訓練を実施するためである。三島氏は森田必勝学生長と共に、会員の一団とは別の車両に着席していた。やがて森田学生長が私に「先生が呼んでいるから行くように」と声を掛けに来た。幸いなことに暫しの間、私は三島氏の隣の席に座して歓談する時間を持つことができた。間近で見る氏の澄明な瞳の輝きは今も忘れることができない。

その折に、氏はしみじみと次のような内容の話を私に語った。

「君が横笛を吹くのは知っていたから、例えば正月に我が家に来て貰って、招待客らと共にお酒を飲みながら君の横笛の演奏を聴くということもできた。だけど、もしそうしていたら、よかった素晴らしかったで終わって、小説なんかにはならなかっただろう。」

つまり、もし私の横笛演奏が昭和四十四年八月二十日以外の夜であったなら、小説『蘭陵王』が生まれることは無かっただろう。

三島氏は「わが創作方法」のなかで[20]、

材料はどこにもころがつてゐるのである。ただ、或る時点における私の内的な欲求に、ぴつたり合ふ材料といふものはなかなかみつからない。私たち小説家は、懐中電灯を手にして暗闇の道を探し歩いてゐる人のやうなものだ。ある時、路上のビール瓶のかけらが、懐中電灯の光を受けて強くきらめく、そのとき私は、材料と共に主題を発見したのである。

と述べている。私は幸いにも、そのビール瓶のかけら役を全うすることができたのだった。

（古代文芸研究所所長）

注1　書翰の初出は、犬塚潔『三島由紀夫と蘭陵王』（限定私家版、令和元年11月）。

2　頁数は『決定版　三島由紀夫全集（以下『全集』と略す）』第20巻（新潮社、平成14年7月）の頁を示している。

3　『蘭陵王』の本文は、『全集』第20巻に拠るが、ふりがなは省略してある。

4　「『蘭陵王』―三島由紀夫の最後の短編小説―」（『方位』第13号、平成2年8月）。尚、永田の云う楯の会脱会事件との係わりは、私には全く無かったことを付記しておく。

5　安藤武『三島由紀夫研究年表』（西田書店、昭和63年）。

6　『全集』第20巻779頁。

7　『三島由紀夫と楯の会事件』（角川文庫、平成13年4月）271頁。

8　犬塚潔『三島由紀夫と森田必勝』（限定32部　私家版、平成28年1月）66頁。

9　「文芸時評」（朝日新聞夕刊、昭和44年10月28日付）。

10　『三島由紀夫―豊饒の海へ注ぐ―』（ミネルヴァ書房、平成22年12月）151頁。

11　『楯の会のこと』（私家版小冊子、昭和44年11月）。

12　「三島由紀夫『蘭陵王』の『蛇』」（『解釈』7・8月号、平成20年8月）。

13　全集12行目　竹が⇧（原稿）竹が、屋根に葺かれて風雨にうたれてのち、。

全集14行目　頭の先端には⇧（原稿）蝉と呼ばれる頭には。

全集14行目　左方の楽のしきたりに従って⇧（原稿）右

方の楽には赤地錦が張られ、左方の楽には青地錦が張られる。この笛の蝉には。

14　『源氏物語』の本文は『新編日本古典文学全集24』171頁（小学館）に拠るが、ふりがなは略した。引用本文は、『源氏物語』の中で最も長い笛の音についての文章である。

15　拙稿「龍笛と古代の笛、そして文学」の「七、龍笛の音の美」（原豊二・劉暁峯編『東アジアの音楽文化―物語と交流と』、勉誠出版、平成26年1月）

16　龍笛の由来については諸説があり、私が披露した説は少数派に属するものである。

17　「創作ノート」781頁の十五行目に、「『竜笛』ひちりきをくねつて廻る竜のやうに。」とあり、私の説をメモ書きしたものである。

18　『決定版　三島由紀夫全集』第28巻（新潮社、平成15年3月）330頁。

19　781頁の八行目から十五行目までのメモは、三島氏が体験入隊を終えた後に『蘭陵王』を執筆するに当たって書き留めた、プロットに関わるメモ書きと考えられる。

20　『三島由紀夫評論全集』（新潮社、昭和41年8月）452頁。尚、旧漢字は新漢字に改めてある。

付記

龍笛譜の「笛の持方図」と「笛図」は、『雅楽　龍笛譜』（香川雅正会、昭和三十五年）より転載。

ミシマ万華鏡

佐藤秀明

『決定版三島由紀夫全集』には、断簡零墨も可能な限り収録されているが、それでも未収録作品は発見され、斎藤理生氏や山中剛史氏の紹介で知ることができる。

『鏡子の家』の深井峻吉のモデルとなったボクシングの石橋広次の試合を「朝日新聞」で読んでいたら、面白い文章にぶつかった。

一九五九年三月三日の紙面である。石橋が、全日本バンタム級の防衛を果たした試合についてのものだ。記事の後ろに「評」があって、これが拳闘技術にも詳しいようで、試合の見方も堂に入っている。何より文章がいい。闊達で自在で、試合内容が伝わってくる。文末に、「(三島)」と署名が入っている。

『決定版全集』を繰ってみたが、この文章は見当たらない。前年の十一月六日の記事にも、石橋が防衛を果たし、「評」があり「(三島)」の署名がある。全集未収録だ。

こういうときは慎重に調べなければならない。さらに遡って五八年一月八日の防衛戦。やはり「三島」の署名入りの「評」がある。年譜を繰ってみてわかった。この日、三島由紀夫はスペインかイタリアにいたのである。つまり、「(三島)」は三島由紀夫ではなかったということだ。

思うに三島某は「朝日」の拳闘好きの記者であろう。その世界では、ちょっとした顔だったのかもしれない。その三島某氏を六十余年後に称え、後世の研究者には、紛らわしいが全集未収録文ではないことを伝えておく。

特集『豊饒の海』の時代

一九七〇（昭和四五）年の両部曼荼羅

関谷　喬

はじめに

　一九七〇年は万博、三島由紀夫の自裁と遺作[1]の印象が強く残っている。同年四月、大学の工学部に入学したが、構内は封鎖中。六月半ばまでは課外活動。万博にも足を運び、太陽の塔と、その内部の生命樹および色彩には度肝を抜かれた。

　一方、学部を超えた知己を得ると、生活も意識も変わる。地方都市を覆う智の帳から徐々に解放されていく。数学科のSTは荒川修作[2]や岡潔、転学部したYYは哲学を熱く語った。

　それまで宮沢賢治を意識する程度の「この私」。折口信夫、マルクス、フーコーやドゥルーズ等々、学生運動とわれわれの問題へと視野は拡げられていく。さらに、一一月二五日を境に夥しい見解が飛び交う。三島の遺作「天人五衰」[1]の謎を初め、彼とその作品や行動、思想について語る人の列は未だ尽きることはない。だが、朋と語りあった問題は五十年近く、荒川修作を除き、誰も明確に語っていない、との想いがある。

　その間、曼荼羅殊に金剛界曼荼羅（写真1、図1）の構制と手続きを宗教の枠から切り裂き、地域・都市の構制と制作性[3]として綴じ合す試みを続けてきた。「この私」が三島由紀夫文学館開館二〇周年記念式典の会場において、田中美代子氏（犬養潔氏司会）の記念講演を聞き、意を決して発言した。

「「天人五衰」の大尾が原稿（写真）では九つの点（読点）になっているのに、なぜ、その出版物では六つの点になってしまっているのですか。九つの点は金剛界曼荼羅の九会では？　また冒頭部分では、「われわれ」と記されながら、その帰属が不明……」と。かくして、三島由紀夫の熱心な愛読者ではなく、遺作からの逆読みの徒であり、場違いであることなど承知の上で、この問題提起の拙文を認めることとなった。

一、「天人五衰」の胎蔵界曼荼羅と金剛界曼荼羅

　文庫版「天人五衰」[1]は、本多繁邦の一九七五年七月二二日の出来事を大団円として、次のように描いている。

数珠を繰《く》るような蟬の声がここを領している。

そのほかには何一つ音とてなく、寂莫《じゃくまく》を極めている。この庭には何もない。記憶もなければ何もないところへ、自分は来てしまったと本多は思った。

庭は夏の日ざかりの日を浴びてしんとしている。……

この私の知る限り、「天人五衰」のあらゆる版が原稿の大尾の九つの点(4)を六つにしてしまっている。(3) 九つの点は本多ではなく、三島由紀夫あるいは/そして平岡公威、作品世界を幻として共有した人々に共通する智慧の構制と手続きを指し示すと考えたい。九月三日、絵画館で、胎蔵界曼荼羅（写真1、図2）の幻から色情へと傾く本多と異なり、作者と人々とは外金剛部から、死とは無縁(3)の金剛界曼荼羅九会の反復（中心から右回りの向下門と逆の向上門）を歩むべき道（手続き）として、即応すべき構制として描き出していると考えられる。

その九月三日の事件については、次のような記述がある。

色情のかげもないこの整々たる広場に佇《たたず》んで、本多はふと、自分が胎蔵界曼荼羅《まんだら》の只中に立っているような心地がした。胎蔵界曼荼羅は二つの根本両界の一方で、金剛界曼荼羅と相対している。（中略）

胎蔵とは、含蔵の意味を含んでおり、あたかも世間の賤《いや》しい女の胎に輪王の聖胎を得たように、凡夫の煩悩淤泥の心中に諸仏の智悲の功徳が含蔵せられているのを言うのである。

そのきらびやかな曼荼羅の完全なシンメトリーは、中央の中台八葉院の中心に、いうまでもなく大日如来を奉じている。そこから十二大院が東西南北に流れ出て、おのおのの仏の住する場所は、精緻に左右相称に定められている。

月のない夜空にそびえる絵画館の円屋根を、大日如来の住する中台八葉院とするならば、池を隔てていま本多が立っている広い車道は、虚空蔵院よりもさらに西寄り、あの孔雀《くじゃく》明王《みょうおう》が住する蘇悉地院のあたりだったかもしれない。

金色燦然《こんじきさんぜん》たる曼荼羅の（中略）配置を、この暗い森に囲まれたシンメトリカルな広場に移してみると、（中略）慈悲に充ちた顔がひしめき、昼の光りに突然まばゆく照らし出されるような心地がした。（中略）外金剛部二百五尊の、おびただしい顔が森のおもてにあらわれ、地は赫奕《かくやく》とかがやいた。……

歩みだしたとき、この幻は崩れて、あたりは虫の音に充ち、縫針で一針二針縫うような夜の蟬の啼音が木かげを飛んだ。(1)

さて、胎蔵界曼荼羅の前提『大日経』に蘇悉地院の説示はない。他の院には必ずいる主尊がこの院にはいない。蘇悉地とは梵語のス・シッディの音写語で「素晴らしい成就」を意味し、漢訳は妙成就(5)。ここで妙成就しているというわけだ。

また、外金剛部二百五尊とあるが、本来の宗教的解釈では二百三尊(5)。三島の解釈では、蘇悉地院の左隅に大きく描かれた千手千眼観自在菩薩（慈悲をもって輪廻転生するあらゆる人々を救いとる請願[5]）と、同じく右の一百八臂金剛蔵王菩薩（現実世界での菩薩の功徳行の実践が行き亘る姿[5]）が外金剛部に加えられていると考えられる。

胎蔵界曼荼羅は、三句の法門つまり「菩提心（中台：大日如来が象徴）・大悲（八葉院：四如来・四菩薩が象徴）・方便（残る十一院が対応）」を表す。外金剛部を俗世とみなせば、本多は、千手千眼観自在菩薩の位置から蘇悉地院へと至り、妙成就を果たすはず。そう考えることもできる。一方、金剛智を体現する一百八臂金剛蔵王菩薩の位置から妙成就に至る手続きを三島は暗示したまま空の場へ飛んだと、考えられる。

では、暗示された金剛智、金剛界曼荼羅の智慧、その構制と手続きは何処かに具現化されているのだろうか。太陽の塔（写真2）が象徴[3]し、荒川修作／マドリン・ギンズ（写真3）の『意味のメカニズム』が組み込み、書き継いでいったのだ。

まずは、三島の自裁の一月前まで、ヴェネツイア・ビエンナーレ[6]が開催（六月二四日〜一〇月二五日）されており、東野芳明主管の日本館のメイン展示は「意味のメカニズム」の初期ヴァージョン。それらは以後パリ（写真4）、翌年にドイツの各都市へと巡回。それに量子力学の雄ハイゼンベルクなどが関心を示し、ドイツ語版『意味のメカニズム[7]』が出版された。

スローガンは「死はオールドファッション[7]」。キーワードは“cleave”[7]。この語はフロイト[8]をも参照したもので、「切り裂く／綴じ合す[7]（瀧口修造訳）」の相反する意味を有している。金剛界曼荼羅を暗示する、A＋B＝Cの式が九つ並ぶ「組み立て直し」（図3左図）と題する作品も重要な位置を占める。

では、金剛界曼荼羅はその基盤「金剛頂経」や「理趣経」とともに、仏教に限定された存在なのか。否。これが三島、荒川、著者そして津田真一[9]に共通する意識だと考えている。

一方、ミュンヘン・レンバッハハウス美術館の館長ツヴァイテ[10]は三島の死の十一年後、荒川への次の見解を投げかけた。

> 繰り返し問題にされるのは、私たちの意識の仕組みについての私たちの知識によって把えることができず、その基盤からしたのでは正確に名づけることも表現することもできない、一つの初源的な無差別でまさに全歴史的な状態である。荒川の画像では認識主体が一部分、自らを不条理なものであると論証するのであって、あたかも空や無際限の虚無について、反省が問題になっているかのようなのだ。この芸術家の企てを診断するにあたって、彼が仏教に深く浸透された文化を出自としていることを考慮しなくてはならない（中略）。彼の芸術的構想の展開に仏教からの影響があったか、という問いに、荒川は彼一流の答え方でもって、つまりイエスそして／あるいはノーと答える。西欧的思考の方法と主題および西欧の文化と芸術との連関が彼の仕事の中では、あまりに表に出すぎているので、もう一つの根に気づくことは私たちにはきわめ

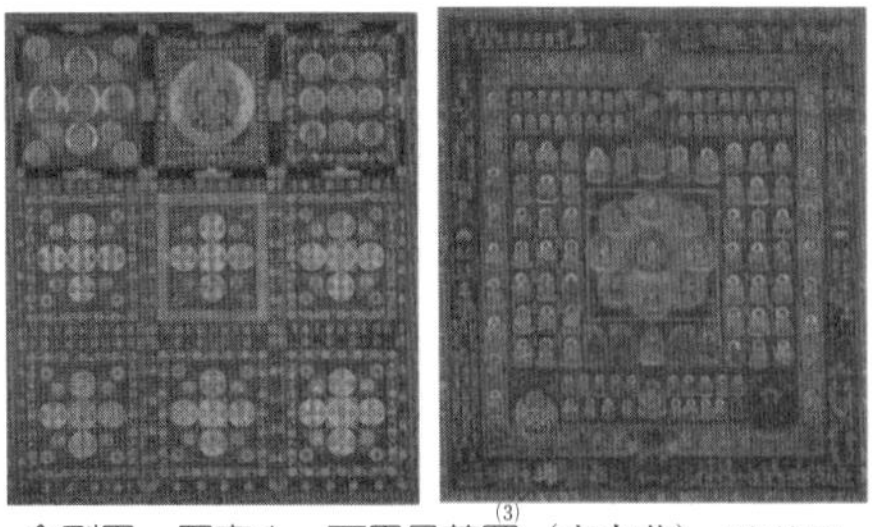

金剛界　写真1　両界曼荼羅[3]（東寺蔵）　胎蔵界

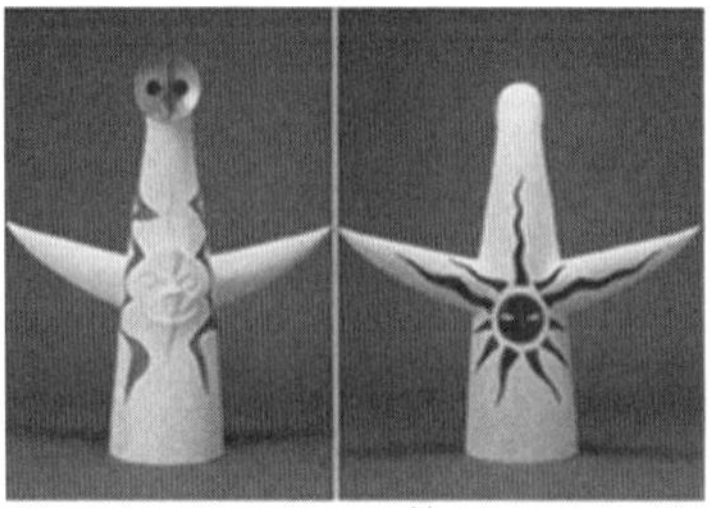

写真2　太陽の塔[3]（模型）

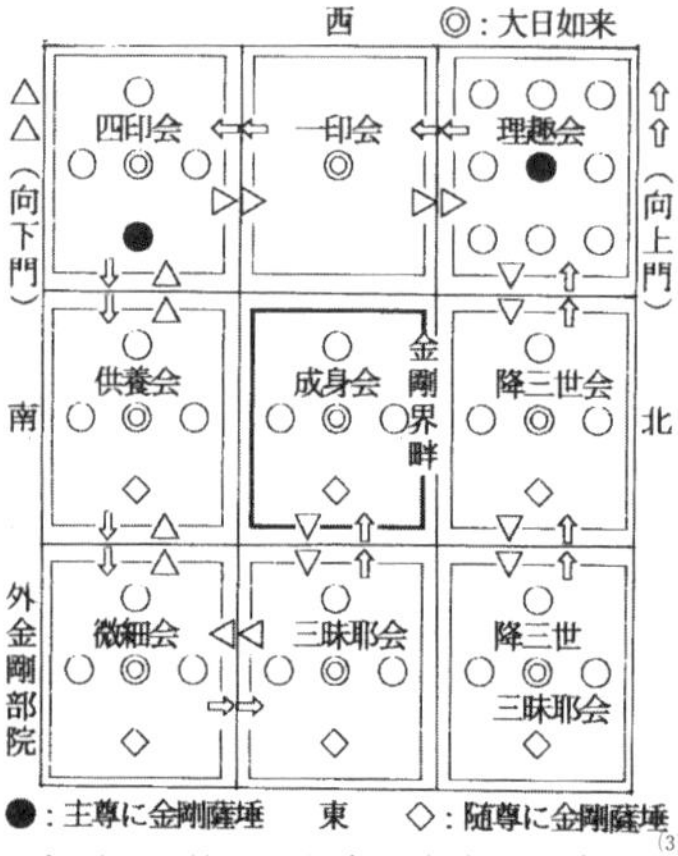

図1　金剛界曼荼羅の九会と向上門・向下門[3]

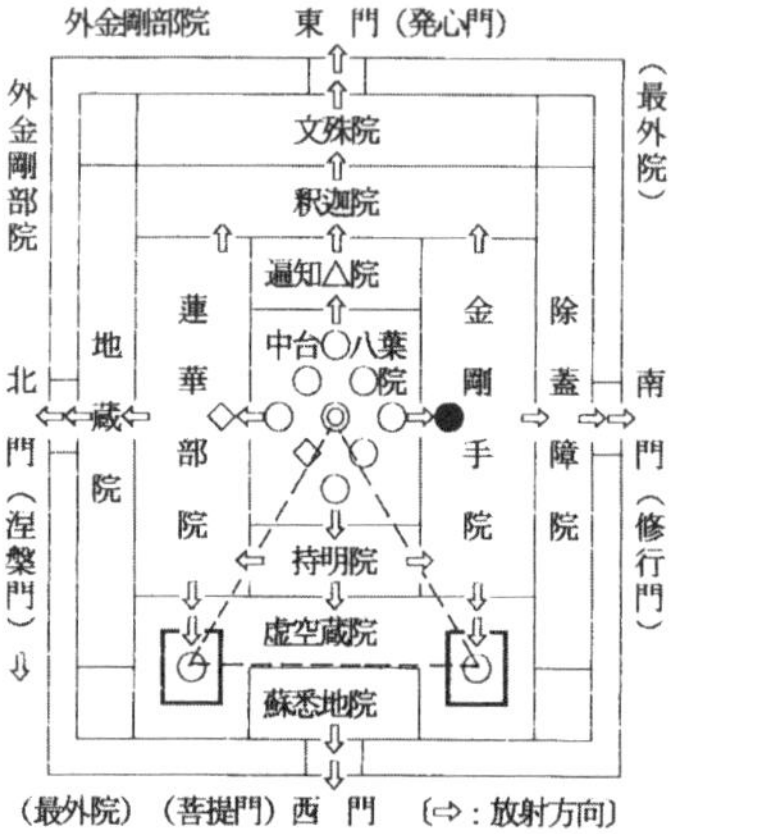

図2　胎蔵界曼荼羅の各院・各門と放射方向[3]

写真3　70年代の荒川修作とM. ギンズ[10]

写真4　荒川修作個展（1970年：パリ）の展示風景[10]

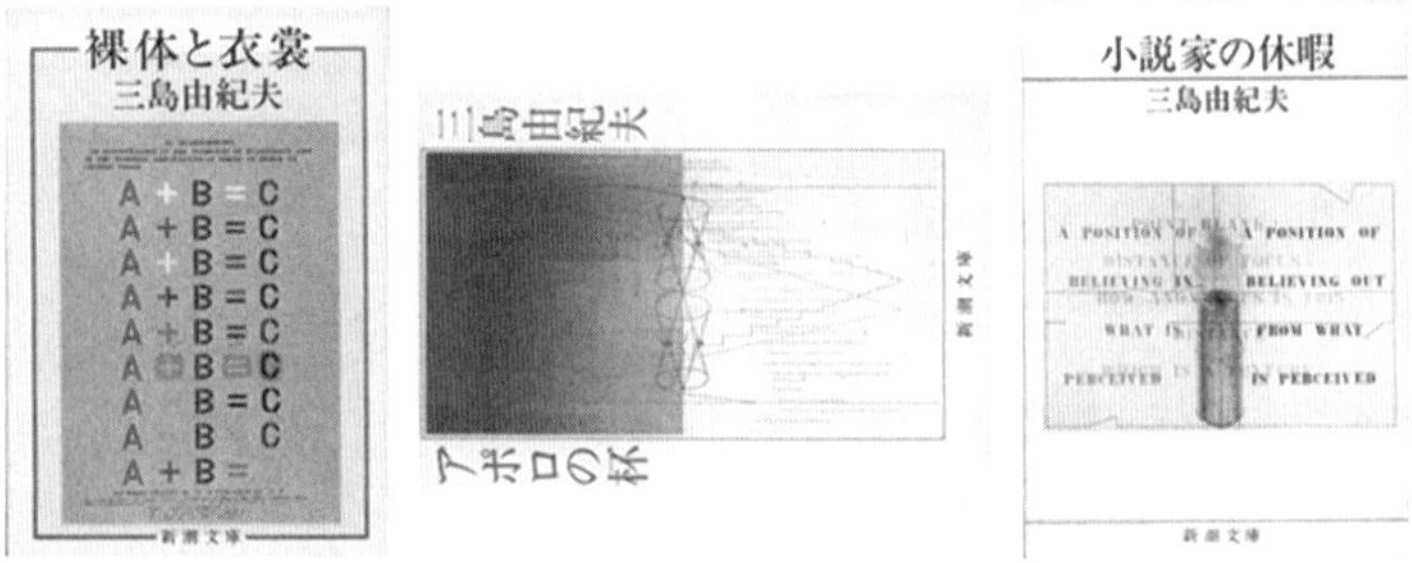

金剛界　図3　荒川修作の両部曼荼羅：三島由紀夫の三冊の文庫版評論集の表紙[3]　胎蔵界

写真５　奈義の太陽[3]
（建設：1994年）

写真６　養老天命反転地[3]
（建設当時：1994年）

図４　構想・養老天命反転地
（建設以前の構想：1993年）

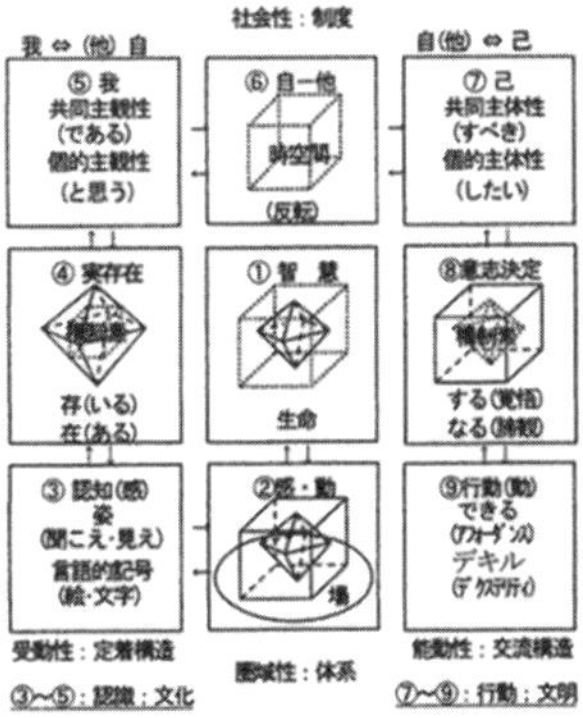

図５　金剛界曼荼羅の構制と手続き[3]

図６　金剛界曼荼羅的な著作配置[11]

図７　ARAKAW/GINS モデル[11]

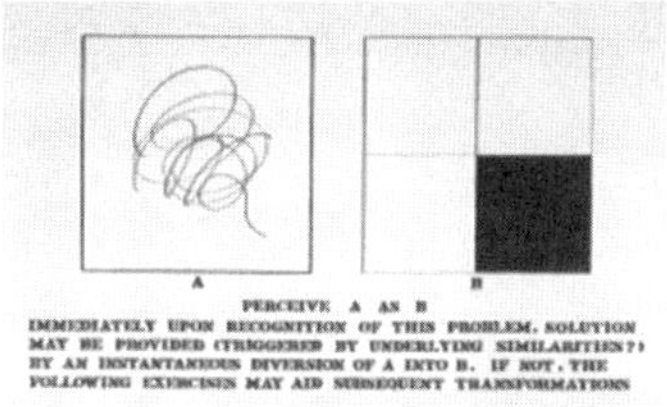

図８　AをBとして（「意味のメカニズム」）

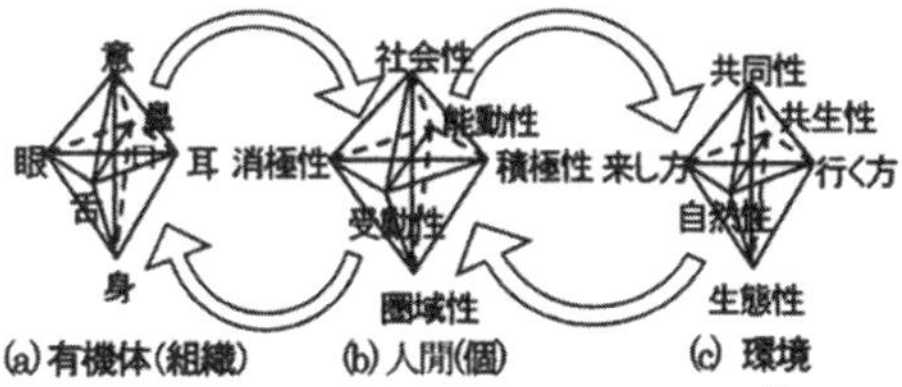

図９　有機体ー人間ー環境に関するモデル[3]

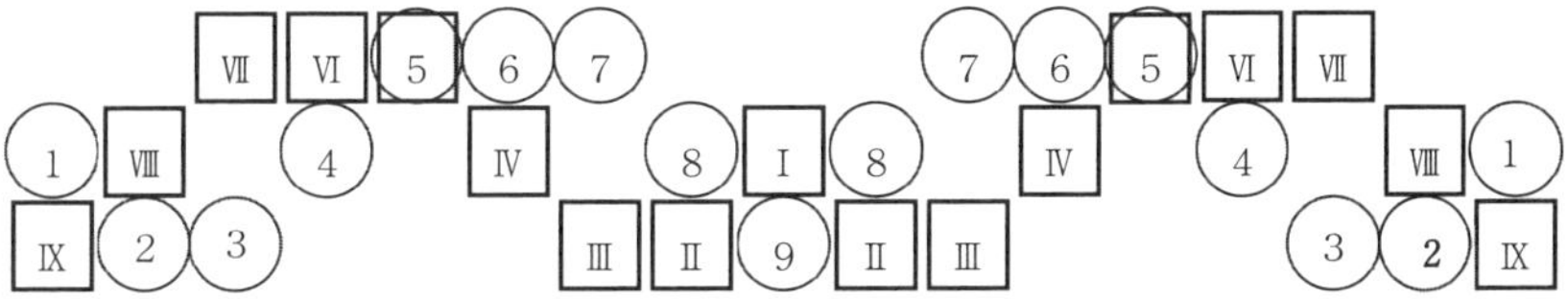

図10　同行二人の構制と手続き

て困難なことである。私たちはここで最終的に限界に逢着したのであり、仏教的精神性を記述することはほとんど不可能[10]

この見解は、仏教的精神性を前面に出した三島の遺作に対しては、致命的な評価を暗示すると考えられないだろうか。ところで、ドイツ語版『意味のメカニズム』には、二枚のカバーが付けられている。一方は、後光に浮かぶ蓮台と法師の影絵、傍らには、ダ・ビンチの聖アンナ母子像の縮小図。他方は大小関係が反転して、ダ・ビンチの年譜を上書きした母子像、その傍らには、法師の影絵の縮小図。

これは、ツヴァイテの解釈[10]では、西欧文明と仏教的精神の対立そして／あるいは弁証法的融合の象徴ということになる。だが、以後の講演などで自らをダ・ビンチの再来と標榜する荒川にとって、この解釈を一つの側面として受け入れるとしても、そのまま肯うことはできないはずである。彼は当時、三島の自裁を知り、その死の経緯や様態はともかく、『豊饒の海』の当初の構想どおりの結末を想定し、赫奕たる日の中の蓮台に坐す法師として三島を映し出したはずだからである。

ツヴァイテが語るような様態で、仏教的意識観を打ち出し西欧文明に対抗することを目指す荒川と、輪廻転生の主題で日本の文化と芸術を直截体現するかたちで日本的意識観を打ち出して西欧文明に対抗することを目指す三島の間には共調的な関係があったと考えられるからである。

二人は、「世界に対して、無関心に、冷静に、無感動に向き合う[10]」「科学的に役立てうる知識の進歩などには目もくれないように思われる[10]」仏教徒として、軽視され続ける「われわれ」を同等の「所与のもの」として、世界史に位置づけ直すことを目指していた。「肝心要のところで、やつらは、われわれを受け入れてはいない」と、荒川は常々語っていた。

二、意味のメカニズムから金剛界曼荼羅へ

三島が荒川と知り合うのは『鏡子の家』執筆中、一九五八年頃[11]。この私が、金剛界曼荼羅の八面体モデル[3]を読み取ったその作品に、画家が登場することにはそれなりの意味がありそうである。二人には、浅からぬ関係があったのだ。

一九九七年八月、荒川のアトリエにこの私を誘ったＴＫ。彼は荒川にインタビューを行う予定で、グッゲンハイム美術館での回顧展[12]（ＲＥＶＥＲＳＩＢＬＥ ＤＥＳＴＩＮＹ：ＷＥ ＨＡＶＥ ＤＥＣＩＤＥＤ ＮＯＴ ＴＯ ＤＩＥ.）会場において、その補助を頼まれた。その日は特集雑誌[13]、奈義の太陽「遍在の場・奈義の竜安寺・建築する身体」（写真5）や「養老天命反転地」（写真6、図4）も話題になった。

翌日は一人で訪ね、この私の論文を幾つか手渡した。特に、文庫版評論集三冊の表紙[14]（図3）が曼荼羅の表象で、三島とは強い関係が、と訊ねた。返答は「言わずもがな」。意を強くして、論文（図5、6など）に即して、金剛界曼荼羅の構制

と手続きについてまくしたてた。以下、図5に即して、金剛界曼荼羅の九会と、その構制[3]について略述する。

①成身会（神籬）：智慧：境界（金剛界畔）をもつ仏の配置図。この配置は以下の②〜④と⑧⑨で共通している。
②三昧耶会（闇）：感・動：仏をその持ち物で表した配置図。
③微細会（数奇）：認知：持ち物をもつ各仏の配置図。
④供養会（寂）：存在：持ち物をもつ祈りの姿勢の仏配置図。
⑤四印会（道行）：我・主観性：大日如来は中央を占め、主要四仏が能動性の菩薩（金剛薩埵など）へと転換されている。
⑥一印会（橋）：自-他・反転：大日如来だけが鎮座。⑤↕⑦の反転を象徴する。主観性と主体性の反転の場と言える。
⑦理趣会（現身）：己・主体性：金剛薩埵が中央、男女の対の欲、触、受、慢を現す金剛尊がその周りに配置される。
⑧降三世会（移）：意志決定：配置は④とほぼ同じで、金剛薩埵が降三世明王に置換され、行動する姿勢の仏が並ぶ。
⑨降三世三昧耶会（遊）：行動：行動の成就を象徴[3]。

因みに、各会の下の（ ）内には、建築家磯崎新が『日本の時空間「間」展[15]』（パリ、一九七八年）で企画した九場との対応を示した。その下の概念がこの私の主張する構制を示す。荒川は岡本を「太郎かあさん[16]」と呼び、磯崎は荒川や自らを含む岡本太郎の影響を強く受けた者を「太郎の鬼子[15]」と呼ぶ。『「間」展』も当初、荒川は参加予定だったが、経費問題から立ち消えとなった。この「鬼子」と併存させる様態で、先の法師の影絵、三島の名をも挙げるべきでは、そう考えている。

とにかく一九七〇年、三島が「天人五衰」の大尾に九点を打ち身罷った日本の彼方、西欧では荒川修作が、『意味のメカニズム』として①↕⑨の構制と手続きを具現化し始めていた。その試みは、二〇一〇年まで続けられていた。

そして図6[11]では、自らとギンズの著作を①↕⑨の構制と手続きに対応づけて配置してみせた。九番目の位置には『建築する身体[17]』が置かれ、その構成は「まえがき」と「序」を除くと、九章からなる。六番目の位置にある「養老天命反転地の構想」では、太陽の塔の涅槃図の如き形象と乾いた岩石の形象（図4）を並べ、経費の関係で後者は縮小形（写真6）として築かれた。その建設の十年後、三島にこう呼びかける。

> 岡本太郎さんに連れられて銀座の小さなバーでお会いした時は、三島由紀夫と名乗られましたね。早いものであれからかれこれ45、6年が過ぎ去りました[11]。

その日は話題が建築[15]におよび、三島の新居も俎上にのり、岡本が「三島君、君もか……困ったね[11]」と受けると、話題が原子工学者の住居観を経て、会話は次のように落ち着く。

> 日本の文化人、知識人の住居についての考えには困ったね。特に専門の建築家等は現代的制約を前提にはしているが、

〝住む〟という根源的な展開が足りないね[11]（笑）……

そして、図7のビジョンが提示され、こう付け足されている。

20年ほど前から「自然」を再構築するため、どうしても移り変わってゆく「新しい共同性の場」を体験できる環境が必要になったのです。そこで「有機体としてのからだ」の動きを中心とした「住居」や「街」を実現させるため、「建築家」の仲間入りをしたからです[11]（笑）。

次に、その手続きを金剛界曼荼羅に即して略述してみよう。生命は①智慧の芽を孕む有機体として、四囲の環境（三昧耶）に②感・動する手続きを歩み始める。そして②感・動を、受動性の「つくられる」感（③～⑤）と能動性の「つくる」動（⑦～⑨）へと一旦切り裂いて、新たに綴じ合す「つくられる・つくる」手続きを弁証法ではなく、cleave の論理に基づき創発させる。[3]そして双方は統合失調症的な⑥反転性の契機によって切り裂き・綴じ合（cleave）される。この手続きは不可避の必然的な手続きの一つの手順なのである。[3]

荒川の用いる概念は西欧的なものへと明確に整序化されている。「空」と「間」はブランク。その①智慧の「空・間」が「つくられる・つくる」場はサイト②三昧耶の場の慈悲はアフォーダンス[18]「できる[3]」とみなされ、そのことへと向けて③知覚が芽生え、④存在（ある・いること）が意識化される。そして、その意味（ミーニング）として⑤主観性（認識）が胚胎する。[3]つまり、AをBとして（図8）みなす心象そして表象が「つくられる」、あるいは意識される。[3]次に⑥反転して、「つくる」⑦主体性が他者を模倣するように創発させられる。つまり、「～したい・～すべき」ことが見出される。しかし、その実践には、⑧意志を具現化しなければならない。意を決すれば、アフォーダンス「できる」のサイトで、⑨実践すなわち方便の「デキル[3]（デクステリティ[19]）」行為がランディング[17]する（降り立つ[17]）。その成果を踏まえ、方向が逆転し、⑨→①の反芻の手順が踏まれる。この手続きは繰り返し反復される。その様態を、この私がモデル化したものが図6と図9である。[3]

例えば、われわれは「有機体―人」として母胎や集団などの「人―環境」と一旦切り裂かれ、以上の手続きを通して、その「間」を再び綴じ合すことで人間になる。その「間」を自らの「場」として「つくる」ことを、荒川は「建築」とぶ。

荒川はこの手続きを介し、『建築する身体[17]』を著し、その実践を建築から[20]都市・文明に向かわせる途上で身罷った。

「時間がない」。荒川は晩年よく口にした。そして、三島は、以上の構制も手続きも（九つの点で）暗示するだけで逝ったという想いが荒川の意識を捉えていたのでは、と考えられる。

三、三島由紀夫と荒川修作の対峙と共調

荒川修作と三島由紀夫の初対面では、三島が著書を渡し、「物語など読まない」と、荒川が放り投げ、険悪化した場を岡本太郎がとりなしたという。六〇年安保の最初の投石者が荒川という証言[21]もあり、政治的立場は背反するのだが、その後は二人の創作活動に関する共調的な関係が続く。

ネオダダを除名された荒川の第二回の個展(一九六二年、夢土画廊)では主要作品の献呈者の列に三島が含まれており、カタログは三島由紀夫を認めない瀧口修造が寄稿している。

金剛界曼荼羅の手続きに関しては、同行二人という先達と同伴者の関係(図10)も考えられる。荒川にも三島にもこの関係が多重に想定される。ここでは、初期の荒川について、この関係を考えると、次の関係を想定することができる。

思想関係	美術関係	創作(曼荼羅)関係
岡本太郎/荒川	瀧口修造/荒川	三島由紀夫/荒川

荒川の渡米は一九六一年一二月、以後ニューヨークに住み、瀧口修造の臨終に立ち会う一九七九年迄の一八年間、一度も帰国していない。では、ニューヨーク事情を荒川は誰から得ていたのか。後に、荒川とギンズは、三島の通訳をこなしたことのあるヨーコ・オノが住んでいたビル[3]に住むことになる。

一九六五年九月、三島由紀夫・瑤子夫妻は海外旅行に出発、ニューヨークにも滞在。次のような証言を荒川から得ている。

三島から、彼の構想に即した有給の創作を打診され、断った。すると、もし構想に対立・否定するような創作を行うなら、徹底的に敵対し闘う。もし共調するなら支援しようという。

おそらく、その構想の一つは曼荼羅の図形化、もう一つは「意味のメカニズム」の起点的な次の前提と考えられる。

NEUTRALIZATION OF SUBJECTIVITY

それは「主観性の中性化[7]」と訳されている。しかし、西欧の概念では、金剛界曼荼羅の⑤主観性と⑦主体性は“cleave”の関係にはなく、同一の概念“SUBJECTIVITY”で表現されている。そこで、「主観性・主体性の中立(中和)化」と訳し、“cleave”の関係がその間に介在することを示したい。

かくして、われわれは、長く悩まされ続けている西欧的な概念の位置づけに関する最大の問題と対峙しうるところへとたどり着く。彼らの観点では神の主観性と主体性を切り裂くことができない・デキナイ[3]。神の代理人「I」についても当然そうなのだ。彼らにとっては、自らの主観性=主体性なのである。“SUBJECTIVITY”を欠いた領域は単なる客体性の場、鏡のような場に過ぎない。三島も明治以降の日本を月(日の鏡)の乾いた場「豊饒の海(日光を反射するだけであり、水さえもない場)」とみなしたのではないだろうか。

確かに日本の明治期、西欧の様態が導入され、互いに対峙する位置に立ち、その実践を達成しえた。果たしてそうか? この疑問が三島と岡本と荒川には共通している。というより、

日本は鏡の如く西欧の概念に即して、あるべき⑤主観性と⑦主体性を曖昧化し、敗戦後、その様態はさらに悪化している。学校では「主体性をもて」と諭されて、積極的に発言すると、「それは君の主観性の方便だ」と切り返され続けてきた。

『天人五衰』には、ある鼠が猫に「俺は猫だ」と主張して、その立証のために入水自殺するという逸話がある。この譬話の冒頭にも九つの点[4]がある。このことは、あるべき⑤主観性と⑦主体性を示唆する重要な意義をもっている。猫としての鼠猫とともに、未だ生き続けているようである。

さらに、「はじめに」で問題とした、第一章では作家の長い独白の後に、そして第二章冒頭にも九つの点が打たれている[4]。『曼陀羅物語』（一九四三年、その原稿では、著者名がわざわざ平岡公威から三島由紀夫へと修正されている）と原稿「詩篇『曼荼羅』」（一九四五年）も遺されている。

つまり、この問題は金剛界曼荼羅の構制に内包されている。新たな伝統として、われわれは、主観性と主体性の〝cleave〟だけでなく、主観性が個的・共同主観性へ、主体性が個的・共同主体へ〝cleave〟されていることを同行二人的に主張すべき位置に立っているのではないか。そのことが日本の建築や都市をも歪めてはいないか。日本人は西欧人だと言い張るような意識の様態が、この国には蔓延していないだろうか。

確固たる〝SUBJECTIVITY〟などありえない。

一九六〇年代後半、そうした意識の反転が起ころうとしていた。三島の自裁は「対」。「天人五衰」第一章の「われわれ」は、新左翼の唱える「われわれ」とともに、いわば未完成の日本の「われわれ」の切り裂かれたままの様態に過ぎないのでは。その「間」を繕う手続きが、一九七〇年に切り裂かれたままの三島と荒川を綴じ合すことから始まるはずだ。そのために、

WE HAVE DECIDED NOT TO DIE.

一九七六年四月中旬、平岡瑤子はニューヨークへ、そして荒川修作をも訪ねたはずである。そこで、以上の問題を糺し、三島への恩義に報いるべきことをも迫ったはずである。その結果、滝口修造の逝った後、図3が具体化された。続いて、荒川は日本にも度々訪れるようになり、新たな建築と都市の構築へと向かう。そして、三島に向けて、こう呟いた。

何が、いや誰が私の右手を動かしつづけてきたのでしょう。どうも、私やわたしではないようですが、す、……つづく[11]。

この私もこの問題提起を始め今、同じ呟きの気分である。

謝辞　本稿の執筆では、㈱コーディノロジストと三島由紀夫文学館の協力を得ました。ここに記し謝意を表します。

（福井工業高等専門学校　名誉教授）

注1　三島由紀夫『天人五衰』新潮社、一九七一年。現在、一般的なものは新潮文庫版で、一九七七年に刊行。

2　荒川修作（一九三六―二〇一〇）：五〇年代末、ネオ・ダダ運動に参加、棺桶シリーズで脚光を浴びる。五八年三島との知遇を得る。六一年に渡米、図式絵画や造形、「意味のメカニズム」等の著作をM・ギンズと共同制作。九〇年代以降、奈義の太陽、養老天命反転地、三鷹天命反転住宅などを設計。九七年のグッゲンハイム美術館での回顧展やシンポジウムを介し世界的に注目を集める。晩年はコーディノロジストを自称する。

3　京都大学学位論文（工学）『交流生活圏の論理の構成と制作性に基づく江戸モデル』二〇〇六年一月。

4　三島由紀夫「原稿「天人五衰」」三島由紀夫文学館蔵。

5　小峰彌彦『曼荼羅の見方』大法輪閣、一九九七年。

6　“Catalogo Della 35a Esposizione Biennale Internazionale d'Art”, Venezia, 1970.

7　ARAKAWA/GINS “The Mechanism of Meaning” München, 1971. 日本語版：荒川修作／マドリン・ギンズ『意味のメカニズム』ギャラリーたかぎ、一九七九年。

8　G・フロイト（浜川祥枝訳）「原始言語における単語の意味の相反性について（一九一〇年）」、『フロイト著作集第十巻』人文書院、一九八三年。

9　津田真一『梵文和訳　金剛頂経』春秋社、二〇一六年（旧版　東京美術、一九九五年）

10　“ARAKAWA　Bilder　und　Zeichnugen　1962-1981”, Städtische Galarie, 1981（日本語版『荒川修作・ペインティングとドローイング　１９６２‐１９８１』翻訳：池田信雄・池田香代子、ギャラリーたかぎ）

11　「荒川修作からの手紙　在《ざ》空《く》場《ば》白《はく》量《りょう》さんへ」、『エクスナレッジムックＨＯＭＥ』Ｖｏｌ．20、二〇〇三年。

12　ARAKAWA/GINS “REVERSIBLE DESTINY” GUGGENHEIM MUSEUM, 1997.

13　「現代思想　八月臨時増刊　総特集・荒川修作＋マドリン・ギンズ」、一九九六年。

14　三島由紀夫『小説家の休暇』新潮文庫、一九八二年。
三島由紀夫『アポロの杯』新潮文庫、一九八二年。
三島由紀夫『裸体と衣装』新潮文庫、一九八三年。

15　磯崎新『反回想Ｉ』ＧＡ、二〇〇一年。

16　荒川修作「私の岡本太郎　思想家・太郎かあさん」、『芸術新潮　さよなら、岡本太郎』一九九六年五月号。

17　Gins, M./Arakawa “Architectural Body” Univ. Alabama. 2002. 日本語版：荒川修作＋M・ギンズ（河本英夫訳）『建築する身体』春秋社、二〇〇四年。

18　J・J・ギブソン（古崎敬訳）、『生態学的視覚論』サイエンス社、一九八六年。

19　N・A・ベルンシュタイン（工藤和俊・佐々木正人訳）『デクステリティ』金子書房、二〇〇三年。

20　荒川修作「荒川修作が現在考え、計画している新しい街づくりと新東京建設について」、『ＳＡＰ』№六、二〇〇一年。

21　『ネオ・ダダＪＡＰＡＮ１９５８‐１９９８―磯崎新とホワイトハウスの面々』大分市教育委員会、一九九八年。

『天人五衰』の構想について
——海を見る少年——（二）

佐藤秀明

3（承前）

本節では、本多繁邦の「悪」と安永透の「悪」を検討したい。真面目で有能な青年だった本多（『春の雪』）は、『奔馬』では裁判官となって「正義」の価値を担い、法の高みに立つ人間となったが、『暁の寺』第二部になると、愚かしさと「悪」への傾きを表し出す。本多の「悪」への志向はとどまることなく、第四巻の『天人五衰』では、老齢による精神の弛緩にこと寄せるように、見ようによっては無様な様相を呈するまでになる。『天人五衰』は、当初「幸魂《さきみたま》」へ導かれるという構想があったが（「『豊饒の海』について」）、その構想が大きく変化するのは、海を見る少年を中心人物に据えたからである。

一方、海を見る少年である透の「悪」は、彼自身の資質にもよるが、本多が開花させた面が大きいと考えられるのだ。そのため一見被害者となる本多だが、じつは事の成り行きを誘導するデカダンな老人になっていくのである。

本節前半でなされるこれらの議論は、『豊饒の海』の結末につながるだろう。これまで物語内容の次元を踏み外し、三島由紀夫の死と結びつけて論じられることの多かった最後の月修寺の場面を、再度物語内容に組み込んで、あの〝否定〟の解釈を検討しようというのが本節後半の記述である。

『豊饒の海』四巻のうち最終巻の『天人五衰』は、先に見たように倉卒の間に構想され、作者の死出の準備と平行して執筆されたこともあって、人物造形や筋の運びに観念性が目立ち、透の手記を挿入するといった安易な手法も採り入れられて、小説としての自然なふくらみに欠けるきらいがある。しかしその分、作者の計算が緩んで隙間が生じ、それが却って魅力的な読解を誘うのだ。三島作品には珍しいこのような小説的魅力は、むろん月修寺の場面における決定的な帰結に収斂するから生きるのである。最後の場面が、放恣な意味の深さや広がりを押さえた重石《おもし》になっているので、作品全体としての締まりは緊密である。以上のように、本節では『天人五衰』の読解の可能性を示し、その小説としての魅力を論じることで、この小説の評価としたい。

創作ノート「第四巻　plan」では、海を見る少年に外部から何者かが働きかけ、「密輸、か北鮮スパイ」の事件が起こり、「突然ドラマに巻き込まれる」という構想があった。これは、「船の挨拶」の筋が踏襲されたということになる。『天人五衰』ではそういう活劇はなくなり、外部からやって来るのは本多繁邦と久松慶子という裕福な老人である。しかし、本多と慶子の訪問を「船の挨拶」の延長として読むことも可能であって、透の境遇の変化は、外部からやって来た二人の老人の働きかけによるのである。養子縁組の話は、透にとっては「船の挨拶」にある一発の「銃弾《たま》」に等しい。何者かが遂に透に関心を示し、彼はそれを受け入れた。そしてその代償に、「銃弾《たま》」は、透から海を見る「幸福」を奪ってしまうのである。

透の「幸福」は、「見えざる水平線」に目を放つことだった。そこは、「見て見て見抜く明晰さの極限に、何も現はれないことの確実な領域、そこは又確実に濃藍《のうらん》で、物象も認識もともどもに、酢酸《さくさん》に涵《ひた》された酸化鉛のやうに溶解して、もはや見ることが認識の足枷《あしかせ》を脱して、それ自体で透明になる領域」である。読者が本多と共有している用語で言えば、それは「阿頼耶識」ではないかと思われる。

また、日がな海を見ている透は、視界に入る船の出現から存在の「生起」に思いを馳せてもいる。船は「その不在を保障してゐた全世界を廃棄させるためにそこに現はれる」と考えるのだ。それが「刹那刹那、そこで起つてゐる」と受けとめる透は、唯識における一瞬ごとに起こる世界の生滅に立ち合っていると言える。少なくとも唯識のあり方を体感しているということにはなろう。

加えて透は、夜勤明けに「薔薇《ばら》いろの横雲」の下に「幻の国土」を見て、「あそこからこそ自分は来たのだ」と思う。彼は、輪廻転生の法則をも実感として摑んでいるのである。

透に大乗仏教の知識があるとは思わない。だが、視覚を超越した遼遠な思索とでもいった彼の見る行為は、世界の成り立ちを説く唯識や輪廻転生の思想に行き着いているのである。それも、輪廻転生の基となる、現象世界の一瞬のごとの生滅と、その薫習（記憶）についての「阿頼耶識と染汚法の同時更互因果」にである。本多がインドのアジャンタの石窟寺院やベナレスで体験したことからこの知見に至り、それが仏教思想の本格的な勉強以前のことであったことを思えば、透の場合も驚くに足りない。本多は透について、「知つてゐてなほかつ美しい」と思う。この「知つてゐて」には、自意識が自分を特別な存在だと認めているという程度の意味にとどまるだろうが、いずれ輪廻転生や唯識にも理解が及ぶという含みがあってもおかしくはない。それが本多の観察である。だが透は、海を見ることで、輪廻転生と唯識をすでに「知つてゐ」たのである。

透は「眺めることの幸福」に浸っており、その視線の果てにある領域が「幸福の根拠」だと感じている。それを確認しておけばよい。そしてそこでは「自己放棄」がなされるという。本多が「悪」とする自意識が働かないのである。「幸福」に対し自意識が働けば、「幸福」はぶち壊しになる。本多は、透の「眺めることの幸福」を知らず、透を、「悪」という自己の思考の枠組みに当て嵌めて理解していたと言わざるをえない。

透の「悪」についても検討しておこう。透に、人を傷つけ排除し、あるいは屈服させる冷酷な性質があるのは言うまでもない。しかし注意すべきは、信号所に勤める透には、「悪」の意識も「悪」の行使も現れていないことだ。本多が透の自意識を見通し、それを「純粋な悪」と認定したまでのことである。むしろ透は、「人間の躓《つまづ》きのもとになる出世慾とも野心とも金銭慾とも恋愛とも、何ら関はりのない小さな氷の城を築いてゐた」のである。「嫉妬も羨望もなかつた」し、「誰とも争はなかつた」というのだ。興信所の調査報告書にある、「やや孤独癖」があり、ＩＱが「異例の高さ」でありながら「己れの英智に溺《おぼ》れず」、「単調な仕事を良心的かつ忠実に実行し」、「謙虚な態度で上司や同僚にも愛されてゐる」という記述は間違いではないし、軽視してはならない。

本多は、自負する認識力によって透を理解し尽くしたと思っているが、それが正しいかどうかは保留せねばなるまい。本多と透の出会いの場面では、本多が視点人物になっているために、本多の認識が地の文に織り込まれていて、それがあたかも事実であるかのような錯覚が生じやすいのである。しかし、例えば興信所の報告書は、本多の認識を相対化しており、それがたとえ職業的な定型文であるにしても、透の日常との間に齟齬は見当たらないのだ。では、その後に現れる透の「悪」の所業と本多の認識との一致はどういうことになるのか。

本多繁邦と久松慶子が初めて信号所を訪れ、安永透と会ったとき、本多は透の「自意識」を直感し、それを「純粋な悪」と見て、次のように思った。

> その生涯を通じて、自意識こそは本多の悪だつた。この自意識は決して愛することを知らず、自ら手を下さずに大ぜいの人を殺し、すばらしい悼辞を書くことで他人の死をたのしみ、世界を破滅へみちびきながら、自分だけは生き延びようとしてきた。しかしその間《かん》、窓から洩れる一縷《いちる》の光りを浴びたこともある。それは印度《インド》だつた。彼が悪を自覚し、悪からつかのまでも遁《のが》れ出ようとして際会した印度だつた。自分があれほどまでも否定してき

た世界を、道徳的要請によつて是非とも存在せしめねばならぬと教へるところの、決して自分がまだ到達する術《すべ》もないあの杳《はる》かな光明と薫香を包含する印度だつた。
　しかし自分の邪悪な傾向は、こんな老年に及んでまで、たえず世界を虚無に移し変へること、人間を無へみちびくこと、全的破壊と終末へだけ向つてゐた。

　本多にとって、自意識は見ることに直結していたから、「見る」ことが本多の「悪」だった、と捉えておいてよいと思う。それは、本多の生涯を貫く生き方への辛辣極まりない批評である。かつては裁判官として法と正義の高みから「見る」自分に満足していた人が、その「見る」延長上にある自己を「悪」と決めつけている。それこそは自意識の働きにほかならない。ここまで自己を追い詰めたのは、自意識からくる自己嫌悪である。一連の転生者たちとは決定的に異なる資質に、対抗的に同一化せざるをえなかったことで、自己の資質に従容として従ってきたわけではなく、むしろ本多は忸怩たる負い目を感じてきた。それが彼の自己嫌悪の源をなしている。だから自意識が「悪」となり、ついには世界の「全的破壊と終末」を望むまでに肥大するのである。一度は世界の存在を肯定する印度に、宥《なだ》められたこともあったが、一連の転生者をただ見てきただけの本多は、虚無に親炙しニヒリズムを託《かこ》っている。

　これは『鏡子の家』の杉本清一郎の資質に老年の自己嫌悪を加味して受け継いだもので、その意味で老年の本多は、三島の父平岡梓や川端康成に擬せられているわけではない。むしろ三島自身の資質が託された人物である。本多の「悪」は、作者の老年への嫌悪が創り出した願望であり、ある意味では、本多は自己嫌悪する自分を受け入れ、念入りに演じてきたとさえ言えよう。

　ついでに述べておけば、秋山駿が安永透と三島について面白いことを書いている。[15]「私は、『天人五衰』を読みながら、なぜか異様に辛いものを感覚した。この透という十六歳の少年が登場するからである。ああ三島さんは、自分の少年時代へ、自分が発見した生の起点へと還ろうとしているのだな、と感じた」。この直感は当たっていると思う。

　さらに本多は、自分の「雛型《ひながた》」を透に見て、しかも彼が黒子の徴《しるし》を持っていたことで、養子にしようと思うまでに関心を掻き立てられる。その関心は、次のようなものと考えられる。清顕との決定的な違いを思うさま味わった本多にも、透を代理人として一連の転生に連なることが可能になるかもしれないという微かな希望が見えたのである。一方、そんなはずはないという不可能の自省も働き、透を「贋物」と疑ったのだ。そうならば、透を身近に置いて、この現実を生き延びるための教育を施し、その真贋を見極めつつ、あわよくば本物だとしたらどのような生を全うするのかを、本多は自分のこととして確認しようとした。——こういうことだと考えられるのだ。

あるいは、透の贋物性に力点を置いて読めば、こんなふうにも考えられる。本多が透を養子にしようと決めた箇所を子細に読むと、転生の徴《しるし》と透の「悪」とが重心を違えていることに気づく。慶子には一連の生まれ変わりの系譜を養子の理由として話すが、本多の思考に即して読むと、本多はまず透の自意識の「機構」に関心を示すのである。そしてそれが自分とそっくりで、「純粋な悪」だと見抜く。本多が透の左脇腹に並んだ三つの黒子を見るのはこの後である。テキストは、本多が知る以前に透に三つの黒子のあることを語っているので、本多が黒子を目にする前に透に強い関心を示していることを読者に明かしているのだ。つまり、透が「純粋な悪」の性質を持っていると見なさなければ、養子の話にはならなかったはずなのである。「精巧な贋物《にせもの》」かもしれないという疑いが本多に兆すが、「精巧な贋物《にせもの》」かもしれないからこそ養子の話になったと言えるのではないか。本多は透の「悪」に惹かれ、透の「悪」は本多によって現実化するのだ。だから、ジン・ジャンの死亡日が判明しないうちに、本多は養子の手続きに入ってしまうのである。ここに、本多の関心から生まれ変わりが後退する兆候が現れている。いずれにしても、養子の話を輪廻転生にからめて取り繕おうと、本多の冷たさは覆うべくもない。

この冷たさが、「幸福」な境遇から透を引き離してしまった。その後の失明に至るまでの過程の責任をすべて本多に押しつけようとは思わないが、「出世慾とも野心とも金銭慾とも恋愛とも」無縁だった少年を、世俗の欲望に引き込んだのは本多にちがいなかった。久松慶子が、養子にした理由を話し、完膚無きまでに透のプライドを圧殺したとき、「そこから僕を引きずり出したのはあなた方ぢやありませんか」と言ったのは、透からすれば率直で悲痛な叫びであったろう。正に二人の金持ちの老人が、質素で「幸福」な少年を「引きずり出した」のである。人を傷つけるのを楽しむ性質が透本来のものだとしても、透の手を「自瀆者《じとくしゃ》の手だ」と「見抜いた」本多は、透が他者に対してそういう対処をすることは、予見の内にあっただろうし、本多の教育は本質的に他者を動かし利用する冷酷な手段を身につけさせることであった。本多の「悪」がこのようにも働いていたことは述べておかねばならない。

『暁の寺』第二部以降の本多は、弁護士としての名声ばかりか財力をも手にし、自己の資質を社会的な期待に沿わせることから離れ、資質を嫌悪しつつそこに固着していくように見える。それが「悪」の意識となっていく。透に魅せられたのは、透が本多の「悪」を刺激するからにほかなるまい。そうでなければ、透の「悪」を見抜きながら身近に置こうとはしないだろう。ジン・ジャンの生まれ変わりならば、これまでのように外から見ていればよいのだ。本多は自己の「悪」

を利するために透を養子にし、本多流の教育を施す。透は予期どおり本多の期待に応え、学業はもとより、巧妙に人を傷つけ、本多にまで攻撃を加えるようになった。それも本多が望んだことであったと考えられるのである。

その果てに透は、メタノールを飲んで自らの目を暗くしてしまう。本多はこれを自殺未遂としているが、久松慶子に無惨に矜りを傷つけられたとしても、透が自殺を図ったとはにわかには信じがたい。家庭教師から聞いた「自分を猫だと信じた鼠の話」に合致するような自殺を、透がなぞるだろうか。「多方面に亘」る読書傾向をもち「百科辞典的知識の集積」をもつ知能の高い透が、自殺に失敗するとは考えにくく、むしろ意図的に失明を選んだとする方が筋が通るのである。何より久松慶子の追及で自殺を図ったとなれば、彼の自尊心が潰え《ついえ》てしまうではないか。

だがもし自殺であるとすれば、慶子は一人の若者を死に追い込んだことになり、その罪は免れないばかりでなく、さらに罪深いことに彼女は常と変わらず恬淡としている……。さすがに本多は慶子との長い友情を断つが、テキストは慶子が生まれ変わりの秘密を透に話したからのように語られていて、圧殺しかけた透の人格や生命については触れていない。慶子にせよ本多にせよ、愚劣で冷酷な「悪」が露呈しているのである。——とはいえ、メタノールを飲んだ透の意図はわからない。テキストの語りは、透の側にほとんど立たなくなるのだ。したがって、透の側から読んでみると、このような見方が成り立つだろうということである。

失明してすっかり温和しくなった透に対し、絹江は髪に萎んだ花を飾り、白絣の浴衣を気に入って着せたままにしている。汗かきの透は体のそこここを掻き、汗と脂の異臭を放ち黙然と座っている。村松剛が指摘したように、これは正に天人の五衰の様であり、死の兆候にほかならない(16)。本多が、この五衰の相に気づいたかどうかは書かれていない。一連の転生に本多は興味を失ってしまったかのようであり、透を「贋物」と断定し安穏としている。そのため『豊饒の海』全体を貫いてきた輪廻転生の軸は、急速に消え入ってしまうのである。にもかかわらず、テキストは透の黒子を示し、ジン・ジャンを想起させる「薔薇《ばら》いろの横雲」の下の「幻の国土」に前生《さきしょう》を見させ、五衰の相まで表現している。ちなみに腋下の汗や頭上の萎んだ花は、本多との初対面のときからあった。長い時間をかけて、透の夭折は始まっていたということだ。透が、ジン・ジャンの生を引き継ぐ本物の生まれ変わりだと言っているのではない。それを読者が確認する術である本多が、生まれ変わりへの関心を示さなくなり、物語内の〝事実〟が曖昧になってしまったことを指摘しておかねばならないのである。

透の失明を服毒の結果としてだけ捉えていては、その意味を薄くしてしまう。透は、失明することで絹江の狂気に入り込んだのである。醜女の絹江を見ることから逃れ、自分を美しい女と思い込む絹江とともに彼女の幻想を生きることになる。失明した透が絹江のなすがままにさせ、絹江の幻想を共《きょう》軛《やく》するとは、現実と幻想が相対化され、そして転倒することを意味している。見えない透にとっては、もはや幻想の方が現実よりも重いのだ。それは、本多が清顕以来の輪廻転生を頼りに生き長らえてきたのを知った透の、その存在をあげての現実の相対化を本多に突きつけているということになる。つまり、生まれ変わりを見てきた本多の現実を相対化し、それ自体が幻想ではなかったかという転換を、自らの転換を通して示し、本多への復讐を果たしていると考えられるのである。こうして透は、本多の「雛型《ひながた》」であることを脱し、本多を乗り越えようとしている。

　メタノールを飲んだ透の意図が摑めないというのは一例にすぎない。そういう不明な部分を残して進行するところが『天人五衰』の魅力なのである。自殺を図り未遂に終わって無力化したと透を見るのは、彼をあまりに愚弄したことになるだろう。透といい絹江といい、観念の骨格が露出した人物ではあるが、創造的に読めば、そこに人としての感情も感じることができる。透の失明と絹江との結婚が、絹江の幻想の完成だとすれば、そこには本多に対する透の復讐を窺うことができ、透の現実を反転し幻想を生きる姿勢は、いわば月修寺門跡のことばを先取りしていたと捉えられるかもしれない。

　さていよいよ、門跡聡子のことばが何を意味し、本多がそれをどう受けとめたのかについて検討することにしたい。

　月修寺の門跡となった聡子と八十歳を越えて癌に冒されているらしい本多との最後の対面は、どのような意味を持つのか。それについてはかつて「夏の日を浴びた庭について――『豊饒の海』論3」という論文に書いたことがある。[17] それをここまでの記述につなげて検証してみようとするのだが、いまの時点ではその読解を変更しなければならないとは思わない。ともあれ、この論を踏まえながら進めたい。

　その前に、三島由紀夫の「魔――現代的状況の象徴的構図」（「新潮」昭和三十六年七月）というエッセイを見ておきたい。

> 「俺が滅びるのだ。だから世界がまづ滅びるべきだ」といふ論理は、生きるための逃げ口上に使はれれば、容易に、「世界が滅びないのなら、俺は滅びることができない」といふ嗟歎《さたん》に移行する。いづれも死を前提にした論理であるのに、死が死の不可能と固く結びついてゐる。何故ならそこでは特別製の美しい死が選択され、夢みられ、こんな最も稀薄な可能性を持つた死のほかの死は、すべて拒否されてゐるからである。
>
> 　私はこれを死の権力意志と名附け、それが必ず、「俺か、世界全体か」といふ大がかりな論理にまで発展するところに、現代的状況の象徴的構図を見る。なぜなら生の権力意志は、網の目のやうに張りめぐらされた社会機

構に制せられて、決してこんな「一か八か」の論理にまで発展することがないからである。

この論理、というより発想が奇抜である。奇抜ではあり、後の時代から見ると、六〇年代初頭の「現代的状況の象徴的構図」とも思えないが、三島が「死の権力意志」と名付けたように、死と「権力意志」が結びつけばこういう思考に至るのは理解できなくもない。「社会機構に制せられ」た「生の権力意志」を裏返したものである。『天人五衰』では本多が、「俺が滅びるのだ。だから世界がまづ滅びるべきだ」という論理に接近している。接近しているというのは、本多の場合は意志的な死ではなく、「この世界を根こそぎ破壊して、無に帰せしめることは造作もなかつた。自分が死ねば確実にさうなるのだ」という自然死の論理だからである。生まれ変わりの実際を見てきて、唯識を学んで得た「権力意志」がそういう思いを誘うのであろう。この巨大な破壊の願望は、『暁の寺』第一部の末尾、本多が学んだ輪廻転生と唯識についての学説が書かれた直後に初めて出てくる。山の手一帯への空襲で廃墟になった渋谷駅周辺を眺め、本多の思いは「破壊者は彼自身だつたのだ」となる。これ以後、本多の心象はニヒリズムへの傾斜を強めていく。そうして、八十歳を越え無力ではあっても、本多は「一か八か」の世界大の「悪」を抱くことになるのである。

これは、論理的構図としては、透の復讐に対する本多の対抗概念となっている。透と本多の角逐は透の失明で終息したが、巨大化した論理として継続しているのだ。要するに「世界解釈」の相違がぶつかっているのである。「この世界を根こそぎ破壊して、無に帰せしめる」という本多の論理と、この世界は一人の女の幻想に比して無意味だという透の論理との角逐……。三島は『豊饒の海』を「世界解釈」の小説と呼んでいた（「『豊饒の海』について」）が、この「世界解釈」に本多の「悪」はつながっている。

「純粋な悪」である透を養子にしたのは、本多が自己の悪を培養するためだったとは、すでに述べた。本多のこの自滅志向とも取れる判断は、何に支えられていたのだろうか。若い頃から堅実で理知的な洞察力のある本多が、一体どうしてしまったというのか。透の本多への虐待と財産乗っ取りの策略、そして服毒、絹江の狂疾が受け継がれようとされる子孫、本多の公園での窃視と週刊誌に暴かれたスキャンダル……。人生の虚しさを知った有能な人間の行く末と見ても、これらを然諾《ぜんだく》するのはそういう一般論を逸脱している。本多繁邦という人の生涯を見渡すと、自堕落に下降する要因があったはずだと考えさせるのである。それはおそらく、聡子にちがいない。

　この汚濁を負うて門跡にお目にかかるのを、しかし本多は内心忸怩《じくじ》としてゐるわけではない。この恥と罪と死を負うてでなくては、ここへ上る勇気が生じなかつたといふのが本当である。去年の九月のあの醜聞が、今にして思へば、月修寺訪問の最初の暗い促しだつた。そして透の自殺未遂が、その失明が、本多自身の発病が、絹江の懐妊が、すべて一点を指してゐた。それらが凝つて一団となり、本多の心を推しゆるがして、あの暑熱の参道をここまで衝き進めて来たのだ、といふのが当つてゐる。それなしには、本多は遠く山頂の月修寺の光りを仰ぎ見てゐることしか出来なかつたであらう。

「悪」と「汚濁」を重ねなければ、聡子に会うことはできない。本多はそう思っている。『サド侯爵夫人』のサドが、「悪の中から光りを紡ぎ出し、汚濁を集めて神聖さを作り出し」「天国への裏階段をつけた」のと同じことである。どういうことか。本多は清顕にはなれなかった。そして本多は、聡子に近づけなかった。「罪は清様と私と二人だけのものですわ」（『春の雪』）と言われ遠ざけられた。そのことばは、本多の生涯にわたって響いている。本多が聡子の聖性と対面するには、本多が清顕とは違う形で聡子の聖性に釣り合わなければならず、それには「悪」と「汚濁」を重ねなければならないのだ。戦後の本多が進んで物堅い人生を踏み外し、「悪」を醸成してきたのは、常に月修寺の聡子の引力を感じてきたからではないだろうか。

思えば、清顕が死んでから、本多は何度月修寺を訪問しようと思い断念したことか。結婚の勅許の下りた聡子が清顕にとって「至高の禁」であったように、月修寺に入った聡子は本多にとって〝不可能〟となった。本多は無意識のうちに清顕を模倣し、そうすることで聡子を〝不可能〟の境に据えたのである。こうして月修寺の聡子は、存在を現さないままに強力な引力を持つ磁場となっていった。

もともと本多は、聡子に異性を感じていたのである。[18] ——「それは「他人の女」であつた。しかも無礼なほどに聡子は女だつた」（『春の雪』）。飯沼勲に清顕の転生の徴を見たとき、本多が最初に思ったのは、帯解の聡子を訪ねることだった（『奔馬』）。その軽はずみを抑えてからというもの、以後は気持ちが動いても静めてしまうのが習いになっていた。聡子付きの女中だった蓼科から聡子の様子を聞き、本多の聡子への思いを突かれたこともあったし（『暁の寺』）、『天人五衰』に至っても、死の直前には聡子に会いに行くだろうと本多は思っている。「さう思ふと、えもいはれぬ甘美な想ひが老いた本多の胸奥《きようあう》に滴《したた》つた」とある。結果論ではあるが、「幸福」な環境から透を引き離した本多は、聡子に会うための布石として透を利用したとも言えるのである。

拙論「夏の日を浴びた庭について」では、本多は聡子に「悪」を仕掛けたという結論に達した。そういう本多の軒昂を寿ぐ気持ちもあった。六十年ぶりに聡子に会えば、清顕の思い出話にもなろうし、そうなれば清顕とともにいた十八歳からの本多の人生が肯定されることになる。しかも「えもいはれぬ甘美な想ひ」を伴って。その上で本多は、最後の力を用いて、阿頼耶識と染汚法の同時更互因果の働きである世界の生滅の「滅」に賭けようとしたのだ、というのが先の論の結論である。

帯解の月修寺を訪問するのに、京都に宿をとってハイヤーを雇い、木津川辺の風景を見ていると、美しい堤が「雛壇のやう」に見えた。「かつて並んでゐた人形は喪はれたかのやうだが、まだ透明な人形が居並んでゐて、人目に見えぬだけのことかもしれない」と本多は思う。しかし、それを厳しく否定する。そのように「事物の背後へ廻らうと」すれば、「この現象世界は崩壊の憂目に会ふのだ」と考えるからである。本多はこの世界をありのままに見なければならないと思う。〝末期の眼〟であり、死を覚悟した三島のそのままの姿勢でもあろう。創作ノートに書かれた京都、山城、奈良、帯解の風景は脚色されずに小説に取り入れられている。

「……何とかして、もう少し、もう少しの辛抱だ、この壊れやすい硝子細工《ガラスざいく》のやうな繊細きはまる世界を、自分の手の上にそつと載せて護つておかなければ。……」。これが心に決めていたことである。謙虚で敬虔でさえあるこの決意は、しかし本多の「悪」と結びついていた。「もう少し、もう少しの辛抱」とは、聡子に会うまでのことを指している。世界は「壊れやすい硝子細工《ガラスざいく》のやう」だという認識が本多にはあり、聡子に世界を肯定してもらい、その直後に本多の認識の内部で世界の滅亡が起こる。それが本多の最後の望みである。

だから、「松枝清顕さんといふ方は、存じませんな」「そんな方は、もともとあらしやらなかつたのと違ひますか？」と言われたのは、長い長い物語の否定などではない。例えば森孝雅、小林康夫、井上隆史、大澤真幸など現在に至るまでこの見解が継承されてきたが[19]、それでは論理が読解の次元から逸脱してしまう。三島由紀夫の狙いにそういう理解を誘う気持ちがなかったとは断言できぬが、それでは作品内容の〝否定〟が置き去りにされ、三島の死をいたずらに劇的な死に彩色してしまう。あるいはまた、本多の生涯が本多の認識によって編まれた幻想だったという、『豊饒の海』を単純な夢物語にする読みも、成り立たないわけではない。先に、透の現実が幻想に反転したと述べたように、観念的な構図としては同じことが起こっていると見ることができるかもしれない。しかし、狂女の絹江とは異なり、現実をリアルに生きてきた本多の認識を幻想と打ち据えるのは、あまりに莫迦莫迦しくはないか。聡子のことばにそれほどの権能を見ることも、同様である。

門跡聡子の発言は唯識の教義に基づくことばで、本多の「熱心」に何ごとかを察した門跡は、本多に対する「待機説法[20]」で応じたのである。したがって、本多に驚く理由はなかった。しかし、本多は茫然としてしまった。なぜならそれは、ほかならぬ聡子その人から清顕のことが口にされなかったからだとしか解釈のしようがない。聡子は、本多が仕掛けた「一か八か」の闘争を上回っていたのである。聡子は本多と同じ次元にいなかった。それを了解したがゆえに、本多は「何もない」ところに来てしまったと感じたのである。そういう意味では、聡子は本多の企図を見抜いていたということになる。

――これが先の論文に書いたことである。それをいま論じ直してみると、いくらかは加筆を要するように思われる。生涯の最後に至って、聡子に会うために重ねた本多の思いは雲散霧消してしまったということだ。本多が、清顕との決定的な違いから生み出した「悪」と「汚濁」の人生は、聡子と釣り合うどころか相手にされなかったのである。『豊饒の海』の結末には、六十年以上以前に清顕が怖れた聡子の凄みが出ている。聡子は結局、本多と同じ論理で機先を制し、この世界が存在しなければならないということを語ったのである。

もう一つは、あるいは門跡聡子は本多の目論見を否定しただけではなかったのかもしれないという解釈である。『午後の曳航』の創作ノートに、「世界破滅的、終末論的状況の中における死。／もっとも贅沢な死」という記述がある。『午後の曳航』とは直接つながらないこの記述は、三島の願望であろうし、その願望は本多に繋がっている。門跡が清顕への思い出を語り、それにより本多の人生が肯定されれば、「破壊者は彼自身」だと自覚する本多は、彼の裡で「世界破滅」をもたらす。死病に冒された本多が狙ったのは、こういう「もっとも贅沢な死」であった。しかし門跡はそれを否定した。清顕も勲もジン・ジャンも、そして自分もいなかったと考えたのは本多にほかならない。彼らがいなかったとするのは仏教的見地からの見方であり、あらためて言うまでもなく彼らは存在した。門跡が言う「それも心心ですさかい」ということばは、ここにこそ効いているはずだ。本多の目論見を裏切る形で、門跡は、「悪」の認識者である本多をも済度に導いたと見ることができそうである。

*

『豊饒の海』がこういう展開を持ち、こういう結末を持つことになったのは、もとはと言えば、『天人五衰』の構想段階で、海を見る少年という主人公像が三島由紀夫の思い出の中から急浮上したからである。本多が「幸魂《さきみたま》」に導かれるという構想が破棄され、海を見る少年が、本多の「悪」に奉仕するために養子に迎えられる。そこにこの世界の存立に関わる巨大な主題が出現し、門跡となった聡子がこの世界は存在しなければならないという答えを出したのである。

こうして『豊饒の海』は無事完結した。その擱筆の日付を記した三島由紀夫が、同日に起こした行動は、文学世界とは別の次元の行動ということになる。

（三島由紀夫文学館館長・近畿大学教授）

注
15　秋山駿「死後二十年・私的回想――いよいよその「不在」が輝く」（秋山駿・他『群像日本の作家18　三島由紀夫』小学館、一九九〇年十月）
16　村松剛「『天人五衰』の主人公は贋物か」（『三島由紀夫全集』第18巻附録3、新潮社、昭和四十八年七月）
17　佐藤秀明「夏の日を浴びた庭について――『豊饒の海』論3」（『三島由紀夫の文学』試論社、二〇〇九年五月）
18　有元伸子「「沈黙」の六十年」（『三島由紀夫　物語る力とジェンダー『豊饒の海』の世界』翰林書房、二〇一〇年三月）にこの指摘がある。
19　森孝雅「『豊饒の海』あるいは夢の折り返し点」（「群像」一九九〇年六月）、小林康夫「歴史と無の円環――三島由紀夫『豊饒の海』」（『出来事としての文学』作品社、一九九五年四月）、井上隆史（注1に同じ）、大澤真幸『三島由紀夫　ふたつの謎』（集英社新書、二〇一八年十一月）
20　森孝雅（注19）に同じ。

ミシマ万華鏡

山中剛史

昨年八月より神田神保町の小宮山書店にて「三島由紀夫展　諏訪精一コレクション」が開催された。古書店の展示販売展だが、なにしろこのために発売されたカタログがなかなかすごい資料なのである。限定五〇〇部、英訳冊子付で三千円とこの手の物にしては些か高価だが、オールカラーで一〇四頁に渡って掲載されているのは、初版本、限定本、署名本、手紙、葉書、原稿、写真、映画や演劇のポスター、パンフレット、チラシ、台本、スチール、レコード、珍しいところでは、結婚式での引き出物から三島が中高生時代に使っていた書き込みのある教科書、幼少期の絵等々、まさに圧巻である。

タイトルにもあるように、これらはみな諏訪精一さんのコレクションである。諏訪さんは、おそらく三島由紀夫コレクターとして日本で三本の指に入る人で、わたしも『決定版三島由紀夫全集』での書誌作成や編集作業に携わっていた際にお世話になったことがある。

古書店のカタログであるがゆえに見過ごされてしまうかもしれないが、微妙に読めるように掲載されている書簡もさることながら、海外版、地方版を含めた映画ポスターの数々、チラシやエフェメラがカラーでこれだけ掲載されている資料はほかにあるまい。とかく研究の場で軽視されがちなこれら資料がこうしてまとまることは在野のコレクターがあって初めてなしえるものであろう。研究者も必携のカタログである。

エロスの神話域へ——『熱帯樹』について

松本　徹

三島由紀夫の劇作は、傑出したものが多く、国の内外において、上演され続けている。ただし、上演されてしかるべきと思われる作品でありながら、案外、わが国内では上演が間遠なものがある。例えば『熱帯樹』三幕がそうである。

ところが平成三十一年春、世田谷パブリックシアターで、小川絵梨子演出により上演された。ただし、人気タレントが出演したためか、筆者が広告で知った時点で切符は完売、見ることができなかった。これには少々、呆気にとられた。演劇界の状況は、大きく変わってしまっているらしい。いわゆる「新劇」の枠から遠く離れているのだ。

それはともかく、このことを知ったひとが、その舞台のテレビ中継を録画して見せてくれた。その画面は、やはりテレビ画面の制約と、映像効果を狙ったところがあって、舞台を知るためには掻靴掻痒の感があったが、あらためてこの戯曲について考えさせられるのには十分であった。

しかし、自作について比較的語るのを好んだ三島だが、この戯曲については初演の際にプログラムに寄せた文章以外、何も言っていない。何故だろう。作品として十分に書き込んだ自負の念が強かった一方、日本の観客から忌避されかねないとの思いがあつたからではないか、などとも考えられる。

この作品は、フランス古典劇もラシーヌに倣った『白蟻の巣』（昭和33年10月）に続いて、『鹿鳴館』（昭和31年11月）で広く人気を呼んだ後、『薔薇と海賊』（昭和33年5月）を書き、満を持して昭和三十四年秋に書き上げ、「聲」に発表すると同時に、文学座で初演された。そうして、後には『サド侯爵夫人』（昭和40年11月）を書くことになる。劇作家の仕事の流れとして見ると、成程と頷かせる位置を占めている。だから、作者として改めて言うべきことはない、といったところがあったのかもしれない。それだけ注目すべき戯曲ということになろう。

この戯曲の特徴は、まずは舞台が、富裕な男の屋敷内に限定されていることである。次いで、登場する人物が、屋敷の当主と歳の離れた妻、それにその息子と娘、同居する夫を亡くした当主の妹の五人だけであること。三番目には、秋の午後から深夜、正確には翌日の早暁前までと、時間がごく短く限られていることである。場も時も、登場人物も一家族と、劇の成立する最小の域に限られているのである。

　このことはそのまま、整然とした枠組みを持ち、かつ、様式性を備えていることである。

　例えば冒頭、娘の郁子（深刻な病に犯され、病室のベッドに横たわり続けている）が、枕元の鳥籠の小鳥に話しかけるところから始まるが、この小鳥への話しかけが、要所で繰り返され、それがこの屋敷の中で進行している事態を、適宜、特異な視点からだが、印象的に示す役割を果たす。

　屋敷の主人で父親の恵三郎は、この屋敷という小宇宙を支配している王者であるかのように振る舞い、話す。その妻の律子は、夫に命じられるまま、派手な衣装を身につけ、毒々しい化粧をし、小娘か女奴隷であるかのように振る舞う。この二人が、この屋敷内を男の専制王国でもあるかのような世界にする。

　同居人の主人の妹信子は、夫を亡くするとともに自分の人生は終わったとして、如何なることにも動ずることなく、冷静に見守りながら、郁子の看護人役を勤めている。例えば、こう言う、わたしにとって「何もかも終つてしまつたから、もう怖れることなんかありませんのよ。この上地球が破裂したところで、それが一体何でせう」。如何なる事態が起ころうと、見届けることが出来る、完璧な証人なのである。

　こんなふうに様式化、類型化が、尖鋭的に推し進められているのだ。

　それに伴い、兄の勇にしても妹の郁子にしても、通常の輪郭を食み出して造形されていて、ともにこんな夢想を抱いている。緑の葉を毒々しく繁茂させ、やがて禍々しい大輪の赤い花を咲かせる、この世には存在しない「熱帯樹」を自分たちは育てている、と……。

　その成長ぶりを兄妹は語り合うのだが、郁子は、死が迫って来るのを覚えながら、兄勇への道ならぬ愛情を強め、かつ、母律子への憎悪を高ぶらせる。そして、自分が死ぬまでに母親に死を、兄から男としての愛を享けるのを切望している、まことに禍々しい存在である。冒頭に出て来た鳥籠の小鳥は、じつは彼女が密かに絞殺し、その死を嘆き悲しむ振りをして、その度に新たに求めては、また殺すのを繰り返して来ているのである。死へと不断に近づいていくのを鋭く意識しながら、人間にとって犯すべからざる根本的禁忌を現に踏みにじりつづけると言ってよかろう。

　勇は、父のような男たちが支配する社会を忌避して、登校を拒否、家に閉じ籠り、幼い時から妹を愛し、自分の花嫁にすると言いづけて来ていて、いまや病で死んで行こうとしている妹の望むところをなんであれ叶えてやろうとしている。こういう兄に対して妹は、まず母親の殺害の実行を求めるのだ。

　しかし、勇は幼い時から母親が大好きで、成長するにしたがい性的欲求も抱くようになるとともに、母親を支配する父親に対して嫉妬し、憎悪するようになっている。

　こうしたこども二人の不穏な動きから、母親の律子は、自分を奴隷のように扱って来た夫を殺し、財産を奪うことを考え始めていた。彼女もまた、子供二人とともに熱帯樹を育てる仲間に加わろうとしているのだ。そうして勇に対し父親殺しを依頼する。

　この世には在ってはならないはずの、戦慄するよりほかない肉親の絡み合いが出現するのである。

　そうして、事態は先へと進む。

　勇は父と口論した末、取っ組み合いになる。ただし、事態は母親が望むようにはならず、却って勉が母親から殺害を依頼されたことを口にしてしまう。そのため父母は、この夜、初めて寝室を別にする。これを絶好の機会だと捉えた郁子が、勉に母殺害の実行を迫り、二階の母の寝室へと追いやるのである。

　多分、古代の劇なり神話だけが扱って来た、禍々しい事件の出来《しゅったい》へと、進行するのである。

　当の母親は、こうした成り行きになると察知して、寝たふりをして待ち受け、勇がいよいよベッドへと忍び寄って来ると、にっこりと微笑みかけた上、驚く息子の顔を引き寄せ、自分の乳房に押し当てるのだ。父親に奪われていた乳房を、いきなり与えるのである。

　殺害を果たせず郁子の許へ戻る勉の後を追って、母親がやって来て、今、寝室であったことを郁子に告げ、「わたしは不死身だわ」と高らかに宣言する。そうして娘の殺意を挫くと、「勇。又来たかつたら来てもいいのよ。鍵はあけておきますから」と言って寝室へ戻る。

　これに対して郁子は、しばらく兄を睨んだ末に言う、「罰をあげる。ご褒美にと思つてゐたものを、罰にあげるわ」。そうしてベッドへ誘うのである。

　夫と妻、父と子、母と子、兄と妹の縁で結ばれた存在が、殺意を鋭く交錯させるとともに、近親相姦のタブーを幾重にも重ねて犯すところへと身を投げかけるのだ。エロスがある限りの禍々しさを募らせ、出現するのを目にすると言ってもよかろう。

　ひとびとは顔を背けずにおれまい。そういうところまで三島はエロティシズムを集約し突き詰めるのである。

　そこにはジョルジュ・バタイユの思想と共鳴するところがあるが、その訳書『エロチシズム』の書評（昭和35年4月、聲）を、直後に書いていて、この戯曲で扱った事柄を思想的言語で半ばなぞっている趣がある。また、鶴屋南北『桜姫東文章』（昭和34年11月、歌舞伎座、歌右衛門、寿海、幸四郎）に監修というかたちで関わり、ワイルド『サロメ』（昭和35年4月、文学座公演）を自ら演出してもいる。そういうところへ身を置いて、執筆するよう図ったとも考えられる。

＊

こうした三島自身の在り方と直接的に関係づけられるわけではないが、拙著『三島由紀夫エロスの劇』（平成17年5月刊）ですでに詳しく見ているところの要点を、想起して置く必要があろう。

三島は、よく知られているように誕生とともに祖母の溺愛のうちに育ったが、学習院初等科三年の時、弟と妹が大きくなって来たこともあって、父母と祖父母が各々に家を近所に構え、別居するかたちになると、彼ばかり、祖父母の下で寝起きするようになった。そして四年、十二歳、学習院中等科に進んだ昭和十二年（一九三七）四月になって、ようやく父母弟妹の許に戻った。

当時、中学生になると、半ば一人前になった意識を持ったもので、実際に三島は書くことに本格的に意欲を示すとともに、読書に夢中になった。折から大正末年に始まった、いわゆる円本と文庫の刊行に代表される出版の隆盛が、それに応える形となって、人間世界のありとあらゆる面を東西の成果をもって繰り広げたから、なおさら夢中になった。それとともに、いわゆる思春期へと踏み込んで行ったのである。そのような少年にとって、これまで日常の触れ合いがいささか希薄であった両親や弟妹との触れあいが、改まって際立って感じられたとしても不思議はなかろう。

加えて、半年後の十月には農林省勤務の父親が大阪営林局局長となって単身赴任、父親不在となった。そのため父親の役割も何ほどか担わなくてはならないと思ったとしても不思議はない。

もっともその父親は、息子が文学へ進むのを警戒、厳しく対応したから、同居した初めの半年の間は、母親が父の眼を盗み、息子が文学に専心する時間を持つよう手助けしてくれた。そうして、おおぴらに文学に専心できるようになると、早々に書き上げたのが、『酸模』（昭和13年3月）であったという経緯もあった。

母親に対する思いがいささか特別なものとなったのは当然であろう。また、妹に対しても、多少はそうした面があったかもしれない。

そうして感じとったのが如何なるものであったかは、学習院の学内誌に掲載された詩や散文、さらには初期の小説『中世』（昭和20年2月）、『煙草』（昭和21年6月）、『春子』（昭和22年12月）、『家族合せ』（昭和23年5月）。戯曲では『火宅』（23年11月）、『愛の不安』（昭和24年2月）、『聖女』（24年10月）などに伺うことが出来よう。

要約して言えば、三島の中では、性的欲求の目覚めが複雑に捩れたのだ。率直に受け止め現わすことが出来ず、厳しく抑制し、まずは禁忌すべきことへの意識が先に立ったと思われるのだ。

そのところを小説作品として表現したのが、長篇『仮面の告白』（昭和27年7月刊）で、自らの性的欲求を同性愛的志向として整理、処理したのである。多分、この時点では、同性愛がこの縺れた性の迷路からの出口と思われたのであろう。

　しかし、これでもって解決されはしなかった。なにしろ人間は、肉体こそ男か女の性を持つものの、そこから彷徨い出ることが少なくない。そしてまた、彷徨い出た先においても、一つの在り方に留まり続けるわけではないのだ。肉体の在り方と直接的に結びついていないだけに、さらなる彷徨へと赴くことにもなる。その点で、性同一障害者と呼ばれる人々の社会的権利を認める方向に動いている今日、考える必要があるのではないか。決して固定的に極めてかかってはならないのである。

　この戯曲で三島は、性――肉体と深く絡まったところでのすぐれて主体的生命の発動が、倫理意識なり社会的規範と関わりなく、また、肉体の性差さえ越えて顕現し、個々人の運命を引きずり回すことを、禍々しい域まで踏み込んで示しているのである。父に殺意を抱き、母と通じようと望み、妹を抱くとは、この人間社会では決して許されないが、勉は、それを体現してしまうこととなる。また、母は母で夫殺しを企み、息子と通じようとし、娘は母の殺害を念じ、兄と通じる夢を叶えようとする……。もう自分の人生は終わったと自認する信子の面前で、親子四人が、それぞれこういった夢と欲求を過激に突き詰めて行く。

　もっともこうしたテーマは、ギリシア古典劇では盛んに採り上げられており、それを受け継いだフランス古典劇でも、中世の聖人伝などでも御馴染みである。キリスト教圏にあっては、「原罪」なるものが前提されているため、こうしたところまで容易に突き詰め得るということがあるのかもしれない。フランスでこの『熱帯樹』が好んで上演されるのには、こうした事情があるのだろう。

　わが国ではどうか。いささか抵抗感が強いのかもしれないが、決して無縁ではない。殊に天地の生成、民族の形成を問おうとすると、避けられないのは、『古事記』を見れば明らかである。まず「独り神」の出現から語り出されるものの、次の段階へ進むと、必ず向き合わなくてはならないのが近親相姦である。伊弉諾尊と伊弉美尊が登場するが、この男と女の二柱の神は兄と妹ともされ、天の御柱を巡って「みとのまぐはひ」をおこなうことによって、国土となる島々を生む。しかし、やがて人の世となると、垂仁天皇の后佐保姫と兄佐保彦、允恭天皇の軽太子と衣通姫の兄妹が、愛しあったがゆえに悲劇に終わることが語られる。『古事記』も神代においては是認されるが、人の世となると、禁忌の対象となるのである。

　『古事記』のこうしたところを採り上げるのには、敗戦前までは制約があったが、戦後になってもさほど問題にせずに来ているようだ。多分、ヨーロッパにおいてとは異なり、いまなお身に即した厄介な問題として、視界の外に置こうとしているのかもしれない。しかし、三島は、早くから軽王子と衣通姫に関心を持ち、戦後、早々に『軽王子と衣通姫』（昭和22年4月）を書いている。多分、少年期から温めていたのであろう。

＊

いま、三島が特異な家庭状況で青春期を迎えたことに触れたが、念のため、その後の足取りを簡単に見て置くと、十代ばかりか二十代になっても女性と性的関係を持つことが出来ずに苦しみつづけ、『仮面の告白』の原稿を書き上げた時点で、実際に同性と初めて関係を持ったことが知られている。そうして同性愛者として振る舞うようになったものの、早々に疑問を覚え、男であるとは男たろうと意志することに拠ると捉えるようになった。そうした考えに至ったことは『新恋愛講座』（昭和30年12月～翌年12月まで週刊誌「明星」）『わが思春期』（昭和32年1月～9月まで「明星」）に明らかである。

この三島の認識の当否は、今日、改めて検証されてしかるべきかもしれないが、この認識をもって以後歩んだことには間違いがなく、貴重な事例と受け取らなくてはなるまい。男の肉体を持って生まれたから男であるとは、人間の場合、限らないのだ。岸田秀が「人間は本能を破壊された動物だ」（『幻想の未来』昭和60年3月刊）といったが、男であるためにはそう在ることを自ら受け入れ、覚悟し、意志しなくてはならないのだ。女の場合は、男ほど明瞭でないかもしれないが、基本的に同じではなかろうか。主体の選択と意志に拠るところが大きいのである。

この認識があったから、ボディビルによってひ弱な肉体を頑健で男らしいものとするとともに、性的にも男たろうと努めた、と思われる。そして、多分、『沈める瀧』（昭和30年4月刊）の執筆時点あたりで、初めて女性と通ずることが出来たと考えられる。その旨を、友人の奥野健男に電話で報告したことが知られている。一般には三十歳になるまで、女に対し不能で苦しみ続けた男がいたと信じる人はいないかもしれないが、三島がそうだった。そして、昭和三十三年、結婚したのである。

それにしても三島は、どうしてこうまで長年にわたって、苦しまなければならなかったのか。その答えは、すでに触れたように、性に目覚める時期に、それまで隔てられていた母と妹に身近に接するようになり、性的対象のタブーとして過度に意識するようになったことが原因だろうと考えられる。そうして自らが課した不能状態から抜け出すのが、思いのほか困難だったのだ。このあたりの自己認識を、三島は『音楽』（昭和39年連載）で作品化している。兄への思いが断ち切れないため、恋人と性交渉を享受できない女性の、快癒の経緯が綴られている。

戦時下から戦後にかけての恋愛が実らなかったのにも、こうした事情があったかもしれない。そうして同性愛へと踏み込んだのだが、この領域に限るなら、如何に性的欲求を放し飼いにしても、タブーに触れることはないのだ。

こうした経緯を引きずっていたから、『金閣寺』（昭和31年10月刊）を書き、『鏡子の家』（昭和34年9月刊）を完成させ、長女の誕生もあった後の仕事として、自らのエロスの遍歴の総決算という意味も込めて、『熱帯樹』に取り組んだ、と考えられる。

起稿したのは昭和三十四年（一九五九）九月十三日で、脱稿したのは十月三十日、発表は「聲」昭和三十五年一月号、初演は同一月七日から文学座であった。

当時、わたしは大阪にいて、大手前会館での文学座公演はよく見ていたが、この公演は見ず、看板が掲げられていたことばかり覚えている。多分、その前の公演には出かけたのであろう。

三島はその初演のプログラムに文章を寄せ、前年の春（その刊行時点から言えば昭和三十四年になるが、プログラムの文章執筆時点からなら昭和三十三年）、朝吹登水子から最近のフランスの新聞で読んだ恐ろしい話を聞かされた。シャトオに住む金持の貴族の主が殺されたが、夫人が夫の財産を早くから狙い続け、息子が年頃になると童貞を奪い、意のままに使って殺させた。その息子は、絶望して妹と関係した……、というのである。

「かういふことは、人間性からいつて当然起り得る事件であるが、実際に起ることはめつたにない。事件は、ギリシア劇の中では、かつてアイスキュロスの「オレスティア」三部作において、アガメムノン、クリュタイメストラ、オレステス、エレクトラ、の一家族の間に起つたのであつたが、それと同じことが現実に、現在ただ今のヨーロッパで起つたといふことは注目に値ひする。この事実はもはや、こんな事件のあらゆる場所あらゆる時における再現の可能性を実証するものであるからだ」と書いている。

誰よりも三島自身が、「再現の可能性」を感じたのである。早速、日本を舞台に、地方の旧家をもって書こうとしたが、そうすれば方言を使わなくてはならない。そこで東京に持ってきてと考え、書き出したが、そうした「リアルな環境」設定が不都合だと気付いたと言う。「この話の原始的な力強い単純さと純粋さ」が肝要で、それを損ねるおそれがあるというのである。そこで登場人物の「生活上のリアリズム」を全部除き去り、「官能のリアリズムと精神のリアリズム」だけに忠実であろうとして、書いたと記す。

この文章の初めに、様式性、観念性、抽象性を指摘したが、日本を舞台にして、日本語でこのような事柄を書くためには、こうした工夫が必要だったのである。そうしなければ、書ける題材ではなかった。

この工夫は、そのまま『サド侯爵夫人』に繋がるのは、言うまでもなかろう。舞台をフランス革命期のパリとした。

三島はこの文章をこう締めくくる。「それはさうと、肉欲にまで高まつた兄妹愛といふものに、私は昔から、もつとも甘美なものを感じつづけて来た。これはおそらく、子供のころ読んだ千夜一夜譚の、第十一夜と第十二夜において語られる、ある墓穴のなかでの快楽を全うした兄と妹の恋人同士の話から受けた感動が、今日なお私の心の中に消えずにゐるからにちがひがない」。

念のため書き添えて置くと、三島自身の妹は、昭和二十年十月、戦後の混乱の中、チフスのため、十七歳で亡くなっている。その際の哀切の念には、ひたすらなものがあった。

＊

以上、第三幕第六場まで触れたが、父と信子が語り合う第七場を経て、八場では、月光の下、寝台上に座る半裸の兄妹の「美しき彫刻の如」き姿が浮かび上がる。タブーを犯したふたりを、こう示すのである。

ここでこの戯曲は、間違いなく神話的領域へ踏み込んだと言ってよかろう。

そうすることによってタブーから身を退けるのではなく、逆に、タブーの只中へ踏み込み、かつ、その彼方を伺う姿勢を採った。

やがてその郁子が言う、「わたしは今日の一日で、生きてゐることの苦さも甘さも、みんな味わいつくしてしまつたんだわ」と。そうして兄に向かい、「私の経帷子になつて頂戴ね。お兄様の体は私と一緒に朽ち、どこまでも私と離れないでね」「私、あの女（母親）にお兄様をとられたくない。私の体が朽ちたあとで、若々しいお兄様の生きた肌が、別の肌の上へ辷つてゆくのはいや！」。

その胎から生れた娘が、その胎を厭い、同じ胎から生れた男に向って言うのである。

兄は同意して、自転車に寝間着のままの妹を乗せ、月光を浴びて埋め立て地の向うに広がる海へと走り去る……。

その二人を信子は見送ると、親二人を呼び起こし、顔も合せずこの家を立ち去る。起き出して来た父と母は、子供二人は散歩に出たのだと言い合いながら、月光に満たされた庭を眺めるが、母親の方はひそかに子供ふたりが育てた目に見えない熱帯樹をさらに繁茂させ、花を咲かせようと決意する。が、父親はあくびを噛み殺し、妻に調子を合わせるところで幕になる。このままで行けば、妻は夫を殺し、財産を奪うことになる……。

この戯曲は、三島にとって書かずにおれなかったのは確かであり、それも小説では決して扱えず、また戯曲でも、以上に見たような特異な書き方でなくては扱えないものであった。

多分、この戯曲を成立させたのは、証人として信子を設定したことだろうと思われる。なにしろ彼女こそ、例のない完璧な証人なのである。地球が破裂しても動じない、永遠の証人——謡曲において繰り返し登場してくる諸国巡歴の、その先に現われるであろう不死身の存在である。そう設定することによって登場人物たちのいずれもが、この世の淵の先に口を開けている奈落へ踏み込むのも辞さない姿勢を貫くことが可能になる……。

言い換えれば、『近代能楽集』の諸作は、能楽を前提にして書かれているが、ここでは、その禍々しい題材、そこから浮かび上がって来た主題そのものが、謡曲の設定を呼び寄せるばかりか、その先へと劇を展開させるのを可能にしたのである。フランスの出来事を、日本の事に、東京の事に、そして東京ではあるもののそのどこでもないところに出現した事とすることによって、こういう道筋を先へと進んだ。

五年後に『サド侯爵夫人』を書いたのも、この成果と言ってよいだろうし、「豊饒の海」四部作にしてもそうではないか。殊にそれを貫く理念として「輪廻」を据えたのに、深く係わっているはずである。

例えば、『春の雪』の清顕と聡子が月下、湘南の海岸の小舟の中で、ほしいままに交わる姿は、同じく月光を浴びる勇と郁子の姿と重なるし、『奔馬』の男の中の男といってもよい勲が、留置場に拘束され、自分が女になった夢を見るが、その限りない淫靡さも無縁でない。男であることと女であることが、いきなり一つに捩り合わされるのである。両性具有の官能的夢想の色彩も帯びる。『暁の寺』は、この戯曲が到達したエロティシズムの哲理の究明と、無残な崩壊の様相を繰り広げていると言えよう。別荘の客の今西が説く「性の千年王国」はそのパロディである。そして『天人五衰』の冒頭、透が望遠鏡で見る「乳海攪拌」を思わせる底の底から沸き立つ海は、自転車を走らせる勉と郁子が目指す彼方の、月光に輝く海に通じている。そこには間違いなくエロスが至りつく禍々しさを突き抜けた天上的な清透さが遍満している。だから勇は妹に言う、「子供のころから、僕たちはいつも手をつないで歩いたね。海の中でもさうできないわけがあるだらうか」。

（文芸評論家）

講演

第3回 三島由紀夫とアダプテーション研究会

映画『美しい星』の世界――制作の現場から――

■講師 吉田大八
■司会 有元伸子・久保田裕子・武内佳代
■二〇一九年三月九日（土）
■於・日本大学文理学部

吉田大八氏

■プロフィール

吉田大八（よしだ　だいはち）　映画監督

一九六三年生まれ。早稲田大学第一文学部を卒業後、CM制作会社に入り、ディレクターとして多数の広告賞を受賞した。本谷有希子原作の『腑抜けども、悲しみの愛を見せろ』（07）で長編映画デビュー。『桐島、部活やめるってよ』（12）で、日本アカデミー賞最優秀監督賞はじめ多数の賞を受賞した。『クヒオ大佐』（09）、『パーマネント野ばら』（10）、『紙の月』（14）、『美しい星』（17）、『羊の木』（18）の映画制作とともに、『ぬるい毒』（13）、『クヒオ大佐の妻』（17）では舞台の脚本・演出も手がける。二〇二〇年に最新映画『騙し絵の牙』（松竹）の公開が予定されている。

©2017「美しい星」製作委員会

映画『美しい星』（二〇一七年、GAGA）

■監督・脚本　吉田大八
■共同脚本　甲斐聖太郎
■音楽　渡邊琢磨、劇中曲「金星」（平沢進）
■原作　三島由紀夫『美しい星』
■出演　リリー・フランキー（大杉重一郎）、中嶋朋子（伊余子）、亀梨和也（一雄）、橋本愛（暁子）、佐々木蔵之介（黒木）

小説『美しい星』との出会いと監督デビュー

吉田と申します。今日はこのような場にお招きいただきまして、どうもありがとうございます。

今、ご紹介いただいた『美しい星』という映画は二〇一七年に公開されました。どんな映画でもできるだけ多くの観客との出会いを求めるものですが、その意味で言えば、『美しい星』の興行成績はあまり芳しくはありませんでした。

この『美しい星』という映画の脚本執筆から製作過程において、この映画について語りたい気持ちが自分の中でどんどん育っていきました。完成してから公開まで、事情があって一年ほど時間が空いたのですが、その間もその気持ちが止まらなくて、日々ほかの仕事をしながらも『美しい星』についてこう聞かれたらこう答えようというメモが溜まっていったくらいです。

初日を迎えた後は、限られた公開期間や規模の割には、映画について人前で話す機会もそれなりにあり、それでも足りずに上映している劇場に押しかけて観客と話すということまでやりましたが、話せば話すほど思いは募るばかりで、公開が終わってもおさまりませんでした。だからこの話をいただいた時は、率直に嬉しかったです。三島由紀夫を専門に研究をされている先生方が集まるこの場にふさわしいレベルの話ができる自信は全く無いのですが、自分の中の話したいという欲の方が勝ってしまいました。お聞き苦しい点が多々あるかと思いますが、何卒ご勘弁ください。

『美しい星』の原作を友人から勧められて初めて読んだの

は、今から三十年以上前、一九八五年か八六年ぐらいの大学の卒業間際のことでした。

その頃僕はSFが好きで、日本では筒井康隆、海外ではカート・ヴォネガットやフィリップ・K・ディックなど、ハードSFというよりは、少しずれた視点から世界を捉え直すような小説が好きでした。そんな自分にとって『美しい星』という小説はものすごくはまったんですね。

完全に心を捕まえられてしまった感じで、普通、読み終わった本は本棚に差してしまうものですが、『美しい星』だけは旧新潮文庫の装丁の表紙が見えるように置いたのを覚えています。

当時は就職活動中で、とくに映画業界を志望していたわけでもなかったのですが、何となくその表紙と向かい合いながら、自分がいつか映画を撮れるようになったら……ということを初めて意識しました。それが『美しい星』という小説との出会いだったような気がします。

そのあと僕はテレビのコマーシャルを作る会社に入って、二十年以上、コマーシャルを作って生活した後、ひょんなことで映画を一本撮ることになりました。その一本目の映画（『腑抜けども、悲しみの愛を見せろ』（07））が、そこそこ評判になり、それが実績となって次も作れそうな雰囲気になりました。それで次に何をやりたいかと聞かれた時に、『美しい星』をやりたい、と言ったんです。そこで三島の著作権を管理されている事務所に問い合わせたのですが、残念ながら許可はおりませんでした。どうして駄目なのか聞いてもはっきりとした理由は教えてくれなかったんですが、恐らく僕がまだ映画監督として信用がなかったからでしょう。

『クヒオ大佐』から映画『美しい星』まで

僕が二本目に撮った映画は『クヒオ大佐』（09）という実在の結婚詐欺師をモデルにした映画で、ストーリーはほぼオリジナルです。クヒオ大佐というのは偽アメリカ軍人です。日本人ですが、アメリカ軍人のふりをしていろいろな女性を欺した実在の結婚詐欺師です。

僕はその映画で、『美しい星』でやりたかったことを、形を変えてやってしまいました。小説の最後に登場する円盤です。映画のラスト、どこかの山奥で日本の警察に捕まりそうになったクヒオ大佐を、アメリカの海兵隊のヘリコプターが救出するというシーンを作りました。「あれ、『美しい星』でしょう?」と指摘されるのを実はワクワクして待っていたのですが、残念ながら誰にもそのことには気づいてもらえませんでした。

『クヒオ大佐』を終えて、自分の中ではもう『美しい星』をやることはないだろうと気が済んだつもりでいたんですが、四本目に『桐島、部活やめるってよ』（12）という映画を撮ったあとに、あるプロデューサーと話していて『美しい星』

をやろうと盛り上がり、企画を進めようと同じ著作権事務所に問い合わせたことがありました。もう四本映画を撮っていましたから、新人監督の頃よりは可能性があるかなと思ったのですが、やっぱり全然駄目でした。駄目な理由も教えてくれなかったとプロデューサーが帰ってきました。三島由紀夫原作の映像化に関しては、今までにいろいろな裁判や上映中止といったトラブルもあり、原作者側もかなりセンシティブだという印象もありました。だから権利を扱っている方もあまり積極的ではないんだろうなと思ったのです。

その数年後、また同じプロデューサーから、まだ『美しい星』をやりたいのか、と聞かれて、もうあまり期待はしていませんでしたが、当然やりたい、と答えました。

それから一カ月ぐらいたったでしょうか。忘れた頃に連絡が来て、どうも権利が取れそうだと言われました。映像の場合、オプションといって、原作を元に企画を開発していいという優先権を期間限定で買うのですが、それがどうも取れそうだというんですね。びっくりしました。なんで今ごろ取れるんだと。

断られたことは実はもう一回あって、僕はそれまでに三回ノックして断られているんです。だから四回目はないだろうと思って、ノックしたあと帰ろうとしていたら背後でガチャッと急にドアが開いた、みたいな感じでした。その時は正直困ったなというのが本音でした。というのもちょうど、『羊の木』(18)という映画の準備中だったんです。念願の企画をこのタイミングで?というジレンマは多少ありました。

『美しい星』脚色の過程と3・11の記憶

オプションが取れたのがちょうど二〇一五年の今ごろでした。原作をどのように扱うにしても、3・11を経験した現在において製作するという意味を考えざるを得ないと感じていました。その責任を考えると、正直気は重かったです。

それでも、『美しい星』は自分が何十年も映画化したいと言い続けてきた原作です。どんな状況でも、やらないという選択肢は考えられなかった。もちろん設定やモチーフを原作のまま映画化できるとは思いませんでしたが、とりあえずプロデューサーには一度書いてみると伝えて、『美しい星』の脚色の作業がスタートしました。

まず一九五〇年代の終わりから一九六〇年代初頭という時代設定をそのまま生かすかどうかですが、これはもう即決で変更と決めました。同時代の小説として表現された原作の、形ではなくスピリットを受け継ぐつもりで、僕たちと同時代の映画にしなくては意味がないと話したら、プロデューサーもすぐ了解してくれました。もちろん監督の意図を尊重してくれたという面もありますが、実際、二〇一〇年代に一九六〇年代を舞台にした映画を作ることを喜ぶプロデューサーはいません。ものすごくお金が掛かるんです。車にしても町並みにしても当時のものはほぼ残っていませんから、それをどう再現するかという問題があり、苦労の割に報われないコスパの悪い企画になってしまいます。

もう一つ僕が最初に出した条件は、3・11の福島第一原子力発電所の事故を扱うということでした。このタイミングでこの映画を作る以上、それを避けるわけにはいかないということを宣言して、それでいいという言質を取ってから脚色を始めました。3・11と原発に関しては、僕も首都圏で生活しているという意味で、当事者のひとりです。計画停電も経験しました。その経験や記憶をたどりながら、3・11を中核のモチーフとして脚本を書き始めました。

初稿は、家族がそれぞれ違う場所で地震を経験して、その瞬間に全員が同時に円盤と遭遇し、覚醒するという展開でした。初稿をまずプロデューサーたちに読んでもらったところ、あまりポジティブな反応ではなかった。自分でも書きながら薄々感じていたのですが、3・11を扱ったことで、硬いというか重苦しい脚本になったんです。最後の討論の場面にしてもそうでした。

映画の「軽さ」とエコロジー

小説『美しい星』を、その「軽さ」において評価なさっている先生がいらっしゃいました。ところがまだ収束には程遠い深刻な事故が続いていて、その影響が生活にまだ色濃く生々しく残っている状況で、それを軽く扱う余裕が、脚本を書くほうにも受け止めるほうにも当然ながら無いわけです。それが映画になった時、一体誰がこれを見たいのかということを考えるうちに、僕自身も確信が持てなくなりました。

それでは、なぜアメリカやソ連の水爆実験を扱った小説の『美しい星』に軽さがあったのかと考えてみました。すごく乱暴な言い方ですが、キューバ危機というのは当時の日本人にとってはじめから手の届かないところの話というか、そのことをフィクションとして考えることができる距離感みたいなものが、どこかにあったからではないかと推察します。

アメリカとソ連の首脳に手紙を書くという大杉家が取る行動には、変なおかしさがあります。しかし3・11に関して言えば、二〇一一年当時においては、明らかに国内問題です。自分たち自身の問題として、3・11以後の問題について判断や意思表示を迫られる日常の中で、どうしてもその軽さを持ち得ないというところが大きな問題でした。自分で言い出したにも関わらず、脚色をする時に、どうしてもそのことが引っかかりました。自分が『美しい星』でやりたかったのは、こういうことではなかったはずなのに、自分の言葉に自分自身が縛られるという、笑えない状況になってきました。

悩みながら二稿、三稿と重ねていきつつ、泥縄もいいところですが手当たり次第に参考資料を読み、そもそも人類にとって、地球にとって究極の危機とは何かを考えました。よく使われる「地球が危ない」というフレーズと初めて向き合ったと言えるかもしれません。原発からエネルギー問題を経て、人口増加そのものが危機の本質だという結論に至らざるを得ませんでした。

小説『美しい星』では、大杉や羽黒たちが宇宙人として覚醒したうえで、超越した視点から地球人たちが滅亡していく必然について議論します。一方、「ディープエコロジー」という考え方がありますが、エコロジーを突き詰めると、最終的には環境を破壊する最大の要因である人間を排除しろ、ということになる。本当に地球を美しくしたければ、人間がいないのが一番という、非常に乱暴であり、だからこそ妙に魅惑的な思考です。

それは宇宙人として覚醒した地球人が一番言いそうなことだなと思ったんですね。『ウルトラセブン』に登場する宇宙人たちが言っていたことに、回り道をしてやっとたどり着いたような気がします。しかし、自分にとっては意味のある回り道でした。

父と子という家族の問題

小説では、大杉と羽黒との討論の場面に息子の一雄は登場しません。父殺しという紋切り型を避けたかっただけなのか、他に理由があるのか、よくわからなかった。考えてもわからないからこそ扱ってみたいと思ったような気がします。映画では、黒木の側に立った一雄が、最初激しく大杉重一郎を攻撃します。そしてそれは、どうしても世代間の対立という形をとらざるを得なかった。重一郎たちの世代がやってきたことのつけを全部、自分たちの世代に回そうとしているという抗議を、一雄に語らせたかったわけです。

3・11の後は、しばしばエネルギー問題についての議論になります。原発を全廃して、今までとは違う経済の仕組みを考えて、持続可能な世の中を作るべきだという考え方をよく耳にしました。しかしそのような主張の一方で、自分の息子世代のような若い人たちが本当にそれを受け入れるだろうか、気になっていました。

僕は高度成長期からバブル期にかけて青春時代を過ごし、また家族を形成した世代の一員として、消費においては結構恵まれていたという自覚がある。そんな人間が3・11のようなショックを受けたからといって、今後は慎ましく生きましょうなどと、今さらどの面下げて言えるんだという気持ちがあります。そうせざるを得ないと分かってはいても、何か引っかかりが消えない。

自分が下の世代からいつか突きつけられるだろう告発として、一雄に代弁させたのはそういう気分の反映です。重一郎も僕も、あんな弱々しい弁明しかできないけれども、それでも、その弱々しさと向き合うしかない、と覚悟しました。

〔会場との質疑応答〕

家族の再生の物語？

――最初ばらばらだった家族が再生されていく物語というか、家族を中心に押し出して映画を制作されたのはなぜでしょうか。

吉田　映画を宣伝する立場としては、観客たちへ向けて何かしらのフックを用意する必要があるので、それが家族という切り口になったのだと思います。ですが、『美しい星』という物語を家族再生という面だけに限定してはいけないという自覚はありました。

――家族の問題の一つとして、小説とは異なり、映画では、お母さんだけ宇宙人ではないという設定にされたのにはどのような意図があったのか教えてください。

吉田　小説を改めて読み直した時に、やはり時代的なものでしょうが、母親の伊余子は少し影が薄いと感じました。映画の観客は女性が多いので、そこに物足りなさを感じさせるわけにはいかない。暁子は美の象徴として、どんどん映像的にとがらせていけばいいということは最初からはっきりしていたので、長女の扱いは原作とそれほど違えていないつもりです。家族の中で母親の存在感自体、当時と二〇一〇年代の家庭を比較した場合、かなり違うだろうなと。ですから伊余子にもうひとつ色を載せたかった、というのがまず動機としてありました。

最初の段階では、伊余子もまた覚醒したという稿を書いてみたこともありました。しかし宇宙人になっても結局、母親は母親です。それは原作中、暁子の妊娠を心配するくだりでもそうでした。だから伊余子だけ仲間はずれで地球人のままいるという設定の方が、関係性としては面白いと考えました。妊娠した暁子に対して放つ、「金星人でも地球人でも、そういうことはちゃんとしなきゃダメよ」という伊余子のセリフは、自分でも気に入ってます。

また、宇宙人の家族という浮ついた存在を観客の側にかろうじて繋ぎ止めるためにも、地球人の視点が効いてくるはずだという目論見もありました。

映画はどうしてもニヒリズムのままでは終わりづらいということ。映画は最後に、とはいえ彼も人の子だったとか、非人間的な行為にも理由はあったとか、そういう意味付け、というか解釈させる余地を残しておかないと、なかなか作る側も観客も納得しづらいところがあります。だから、映画は最終的にはヒューマニズムの側に立たざるを得ないという、自分の中の断念というか、覚悟といったら格好いいですが、そういうものを映画ラストの展開を考える時にどうしても持たざるを得ませんでした。ですから、そこに関しては、三島由紀夫や小説『美しい星』を好きな人にはネガティブに受け取られるかもしれないと予想していて、実際も公開後の感想を見ていると、無理やり映画にしようとしていて甘ったるい、なんて批判もありました。逆にそういうのを読んでほっとしたりしましたね。変な話ですが。

映画俳優の身体、円盤

―― 原作は、宇宙人だと認識している人たちに寄り添いつつも、ある意味では虚実が分からないように書かれています。それを映画化する時にどう扱うかはなかなか難しいと思いますが、例えば黒木役の佐々木蔵之介さんは、監督から非常に微妙な演出を受けた一方で、自分はもう宇宙人だと思って演じたともおっしゃっていました。宇宙人という認識、あるいは本当に宇宙人なのかという問題をどのように映画化されたのでしょうか。

吉田　そうですよね、本当に俳優が一番困ったのはそこだと思うんです。俳優はきっと聞きたかったでしょうね。（登場人物の）頭がおかしいだけなんですか、本当に宇宙人なんですかと。そこに関して、まさかそういうことは聞いてきませんよね、と何となくそんな雰囲気を出していたら見事に誰も聞いてこなかった（笑）。ただ、蔵之介さんだけがちらっと聞いてきたんです。内心すごく慌てて、宇宙人だと思っている人間のふりをしている感じでやってくださいとさらっと言って、その場をしのぎました。そして、蔵之介さんがあのように見事に演じてくれたので結果大オッケーだと思っています。

あと、映画の取材ではあまり聞かれなかったけど話したかったのが、小説の最後に出てくる円盤の扱い。映画では決定的な円盤を出そう、と最初に意気込んだんですね。『2001年宇宙の旅』(68)も三島さんは多分観ないまま亡くなっていますし、当然『スターウォーズ』(77)も『未知との遭遇』(77)も作られていないわけです。

一方、『美しい星』が発表されてから現代に至るまで、僕たちはありとあらゆる円盤を映画やテレビで観てきた。今回円盤が出ている映画を片っ端から観直して、自分は映像に円盤が出てきてもそれほど感動しないという、悲しい結論にたどりついてしまいました。だからと言って、円盤を映さずそれを見ている家族の表情だけで終わるなんて、なんだかお金がなくて逃げたみたいで癪だし、でも、そこで頑張ることにあまり意味を感じない以上、円盤を出すのはやめようと思いました。

じゃあどうするんだ、どう終わるんだとなったときに、「地球から円盤を見るのではなく、地球から円盤を見ている自分を円盤から見る」ことでいけるんじゃないかと思い至りました。落語のあたま山や粗忽長屋じゃないですが。

では円盤の中はどうするのかということになるわけですが、美術デザイナーの安宅（紀史）さんがたまたま三島好きだったのをいい事に、「まだ誰も見たことがない円盤内部を考えてください。『豊饒の海』の最後に「何もないところ」と書いてあるじゃないですか、あんな感じだったらいいんじゃないですか？」とすごく無責任に発注しました。あとは、白い空間がいいんだけど、白いだけじゃダメですよ、みたいな。

さすがにそこまで監督に突き放されたら、デザイナーも宿題として持ち帰らざるを得ないわけです。それで最終的にあがってきたのが、映画をご覧になった方は分かると思いますが、白くて、ひだをたくさん持った部屋。宇宙の果てと体の奥が交わっているような、素晴らしいデザインでした。原案では水溜まりがあったり、縦に割れた窓もあって、より子宮を連想させるようなものだったんです。でも円形の内部だと感覚的にとらえられたほうがよいだろうということで、原案を少し修正していきました。

今回の映画化における最も大胆な脚色だと思っていたし、その手応えの割にあまり反応がなかったのが残念で（笑）、今日はぜひ皆さんの感想を聞いて帰りたいなと思っています。

ニヒリズム、動物

―― 先ほど、映画のラストはニヒリズムというよりはヒューマニズムだというお話がありました。しかしラストよりもう少し前、車で家族が移動している場面の美しさに感動しました。それは三島の作品の中でしばしば出てくる死ぬ直前に見る光景のようで、やはりニヒリズムにも通じるものを映画で表現されているように思います。

吉田 僕は若い頃から落語が好きなんですが、年齢を重ねるにつれて落語のどこに魅力を感じるのか考えたときに、やはり人間のどうしようもなさ、くだらなさをみつめる距離感が心地よいのだと気付きました。いい人も悪い人もみんな死んじゃうと思えば愛おしくなってくるというか。

ラスト、車の中から大杉重一郎が人間たちを見る場面、撮影当日までどこで撮るか決めていなかったんです。都内を車で走りながら、新橋、渋谷、池袋などを経て、結局歌舞伎町にたどり着きました。なんとなく歌舞伎町だと特殊な街に見えてしまうような気がしていたのですが、最近は割と普通の歓楽街になっていて、若い人が多いですよね。人間を救う使命を勝手に背負って倒れた重一郎の魂が、そんな議論と全く無関係に街を行き交うたくさんの人たちを見ているうちに癒され救われるような、そんな感覚を監督として共有できました。自分も死ぬ間際に見る風景をもし選べるとしたら、ここに来るのもアリだなと思ったのを覚えています。

―― 最後に牛が出てきますね。看板によって場所は福島近郊であるとほのめかされていましたが、あの場面で動物を出されたことについてのお考えをお願いします。

吉田 僕が3・11のあとに見てとても印象に残っているのは、避難区域で野生化した牛が無人の街や野原を駆け回っている映像でした。牛小屋につながれていない牛ってあんなにダイナミックだったんですね。変な話、事故の犠牲者という感じが全くしなくて、むしろ地球と牛との関係をただ人間が邪魔をしていただけなのだと気づいた人は多かったんじゃないでしょうか。

その感覚を、映画の中に持ち込めないかということは初稿の時から考えていました。だから脚本家から、何か動物を出さないかという直感的な提案があった瞬間、僕もピンときた。あの時、弱った重一郎の目には、あの牛が地球からのメッセンジャーに映ったんじゃないでしょうか。

小説の映画化というアダプテーション

――『パーマネント野ばら』(10)でも、過去の回想シーンが挿入されなくても、一つのせりふを通して、それまで見えていた世界とはまったく別の世界があったことに突如として気付かされるという転換がなされていました。構成シーンはまったく変わらず、特別なシーンのカット割があるわけでもないのに、世界を反転させるようなシーンをどのように作られているのでしょうか。

吉田　そもそも小説の『美しい星』を読んでいなければ、映画を監督したいと思っていなかったかもしれません。誤解を恐れずに言えば、これまでの映画はほぼすべて『美しい星』の代わりに、『美しい星』でやりたかったこと、やろうとしていたことを全力で凝縮させていた面があったような気がします。つまり、一つのせりふや一つのアクションで、世界を思い切り反転させたい。だけど、その反転した世界は一瞬しか続かない。その感覚のために映画を作り続けてきたということに、『美しい星』を撮ったあとにあらためて気付きました。

関係ない話をしますが、僕は一瞬で点が入るサッカーが好きなんです。圧倒的に強い相手にボールを支配されて守りに追われていたチームが、試合終盤にたった一発のカウンターアタックを発動させて、1―0で勝つ。そこにロマンを感じてしまう体質です。

――最後の大杉重一郎と息子一雄の対話シーンでも、大杉の宇宙人性の嘘っぱちな面が強調されていました。

吉田　僕は映画でも他のパフォーミングアーツでも、終わった瞬間にどこだか分からない場所に置き去りにされるような感覚を味わいたいというタイプの観客です。あらかじめ決まっている結論があるならそれを聞かせてもらえばいいだけで、二時間拘束される意味はない。しかし同じような考えの観客はだんだん減っているような気がします。

――小説を読むのが好きな者としては、妄想と現実の間に明確な線を引いた表現になってしまったら、それは多様な読みには還元されなくなってしまいます。

吉田　自分の映画の上映に立ち会うことがあるんですが、終わった瞬間にざわざわっとする客席の雰囲気が大好きです。

全然意味分かんなかったと言いながら帰っていく人たちの声を聞きながら、あ、それでよかったと思います。逆に、映画をご覧になって、すごく感動したとか、共感したと言っていただけることもあります。もちろん有難いことだと思いつつ、ここだけの話、少しだけいたたまれないような気持ちです。そこはもう嘘をついても仕方がないと思っています。『美しい星』のときは、よく意味がわからなかったけど監督が好き勝手やったのは伝わってきた、というような複雑な笑顔をたくさん向けられて、達成感はありました。

――『美しい星』はコメディー映画という側面もあり、重一郎の決めポーズでは、ときに映画館の観客は大爆笑していました。あの笑いのシーンや現代の問題とのコミットのさせ方について教えてください。

吉田　小説には、自分が火星人であることを確信した大杉重一郎のシリアスな言動を美しく大仰に描けば描くほど笑えてくるという構造的な強みがありました。

映画では、それをアクションとして表現したいと思いました。それがあのポーズとして結実したのです。脚本の段階では自分も確信を持っていたわけではなかったのですが、やるべきだという勘のようなものが働きました。振り付けの方とも相談を重ねて、最終的にはそれをリリーさんが身体表現として一〇〇パーセント、一二〇パーセントの力でやってくれたおかげで、あのような形になりました。仕事としてテレビカメラの前で喋ってきた重一郎が、決め台詞の代わりに、きわめて真剣な顔で馬鹿馬鹿しいポーズを全力で決める。それが動画として拡散することも含め、重一郎なりの戦い方に賭けてみようという思いでした。

――原作の舞台には、米軍基地に関わりが深い場所が設定されています。そのような場所には核兵器があるかもしれないという想像力の中で、日本は基地を抱えていました。映画では、米軍基地を追放した場所だと明示された金沢近郊の内灘をロケ地に使用されています。

吉田　映画も金沢でクランクインしました。書かれた当時とは全く風景も違うはずですが、暁子が竹宮と会話する料亭や、円盤と遭遇する内灘でも実際に撮影することができました。

円盤が目撃される場所としてはテレビ局、軍事施設、原発の付近が多いそうです。なぜ皆が「そこ」で「それ」を見てしまうのか。わかるような気もします。

三島由紀夫とクヒオ大佐、そしてアダプテーション

――現在の金沢の問題、アメリカ米軍の問題なども、例えば同時期に監督が演出された舞台『クヒオ大佐の妻』(17)などにも露わなかたちで出ていて、『美しい星』で追求された問題がまた別の作品にもつながっています。

吉田　クヒオ大佐という実在の結婚詐欺師について、以前『クヒオ大佐』という映画を作ったのですが、ちょうど『美

しい星』の脚色をしていた頃にまたクヒオ大佐の舞台を作・演出することが決まりました。だからかなり長い期間、『美しい星』＝三島と『クヒオ大佐』について、同時に考えていたんです。

奇妙なことに、三島由紀夫に関する本を読むと、なぜかクヒオ大佐のメモがどんどん増えていったんです。その逆もあって、クヒオ大佐のことを考えているうちに、いつの間にか『美しい星』のワンシーンが出来上がったり。二〇一七年は『美しい星』の公開と『クヒオ大佐の妻』の舞台の初日が一カ月しか空いていませんでした。そういう意味で、自分にとっては特別な年です。

クヒオ大佐という【現象】と、三島由紀夫が遺したものに、どうしても共通点を感じてしまうんです。自分にとってクヒオ大佐はもはやライフワークになりつつありますが、三島から入るという方法をさらに自覚的に突き詰めていきたいと思っています。

――『クヒオ大佐の妻』には、クヒオ大佐の整形した鼻が三島由紀夫の筋肉だ、といったセリフがあり、最後の場面では映画『憂國』で主演した三島ではないかと思われるような軍服を着た人物も登場しました。

吉田　あえてそういう短絡をぶつけてみることで、何か動くのではないかという期待があります。アメリカ軍の戦闘機パイロットと自称する日本人男性と、その嘘に易々と引っかかってしまう日本人女性、そして火星人として覚醒する重一郎、自衛隊のジェット機に試乗して自らの筋肉について考え続ける作家、そんな諸々が整理できないまま頭の中でぐるぐると渦巻いていました。誰とも共有できない精神状態という意味では僕も似ていて、三島＝クヒオについて誰も語らないのであれば自分が引き受けるしかない、といったおかしな使命感さえ生まれてしまう始末です。

――三島の喜劇性とかポップな要素も、『クヒオ大佐』に通じていくということでしょうか。先のご発言のように、三島のテキストは、深刻なテーマと軽さが共存しています。そして監督の製作過程では、映画や小説などの、複数のテキストのいろいろな要素を組み合わせながら次の創作が生まれています。三島の創作上のアダプテーションの方法論が、ある意味で、監督ご自身の方法へと伝わったようにも見えます。

吉田　自分にとってのアダプテーションは何かとあらためて考えて見ると、原作をより面白くするような誤読を目指す、ということに尽きるかもしれません。誤読の余地がないものは脚色しようがないんです。作者も気づいていない原作の可能性、あるいは違う時代や土地で芽吹く方法を見つけたいと思っています。完成した小説にとってお節介かもしれませんが、結局すべての物語は意味のある誤読や脚色によって生きながらえるものではないでしょうか。

今までは誤読して決めた目的地まで強引にたどり着いてき

たのですが、三島＝クヒオに関しては、実はまだまだ迷走している気がしています。そっちに行っても何も見つからないよ、と叱ってほしくてここでこうして話している節も実はあります。ダメならダメでもうやめたいんですよ。これ以上自分の中でクヒオ大佐が大きくなっていったら、他の仕事に差し支えそうで。

――　三島とアメリカとの関係性というテーマはありますし、三島と偽物性や演技性の問題という問題の立て方も考えられます。それらを統合するようなクヒオ大佐と三島由紀夫の結び付きというのは、やはり新しい視点と思います。三島とアダプテーションについて考えるこの研究会としても、監督から新たな課題を頂くことができました。

　それではこの辺りでお開きにさせていただきたいと思います。吉田監督、本当にどうもありがとうございました。

吉田　ありがとうございました。失礼しました。

※　吉田監督の講演と質疑応答での発言を中心に採録し、司会や会場からの質問は簡潔にまとめました。当日、会場でご発言下さった方々に感謝申し上げます。

ミシマ万華鏡

山中剛史

昨年十一月二十一日から二十三日まで、パリ大学（パリ・ディドロ大学）で、「50 Years Later, Another MISHIMA?」という国際シンポジウムが開催された。私は井上隆史さんに誘われて参加、「Mishima Yukio's "Self-image"-Who controls it?」という発表をおこなった。初めての国際学会であったが、いろいろな意味で蒙が啓かれた貴重な機会となった。

　初日はジョン・ネイスンさんによる講演、井上さん、私の研究発表と続いて昼食、コーヒーブレイク二回を挟んで夜までぎっしり発表が続き、二日目はイルメラ・日地谷＝キルシュネライトさんの講演や各国の三島翻訳者らによるパネル発表、三日目は平野啓一郎さんのビデオ講演に続いて、三島の文学のみならず『文化防衛論』などその政治性についての発表もあった。二本の基調講演に一本のビデオ講演、十七本の研究発表（英語、フランス語、日本語）と三日間みっちりと三島漬けである。

　翻訳におけるフリクショナルな受容の考察、三島文学におけるギリシャ古典翻案作品の研究、三島のセクシャリティに迫ったものから「三島由紀夫」という現象自体の世界的なアダプテーションについて等々内容も多彩だったが、最終日の総括的討論では、三島の政治性と暴力性を今日どう捉えるかの問題提起がなされ、議論が盛り上がったのが印象的であった。

資料

三島由紀夫と田中美代子

犬塚　潔

はじめに

田中美代子は、三島由紀夫の生前に三島自身により見出された唯一の評論家である。田中美代子の評論は三島由紀夫を虜にした。三島は田中美代子の評論に何を見たのであろうか。

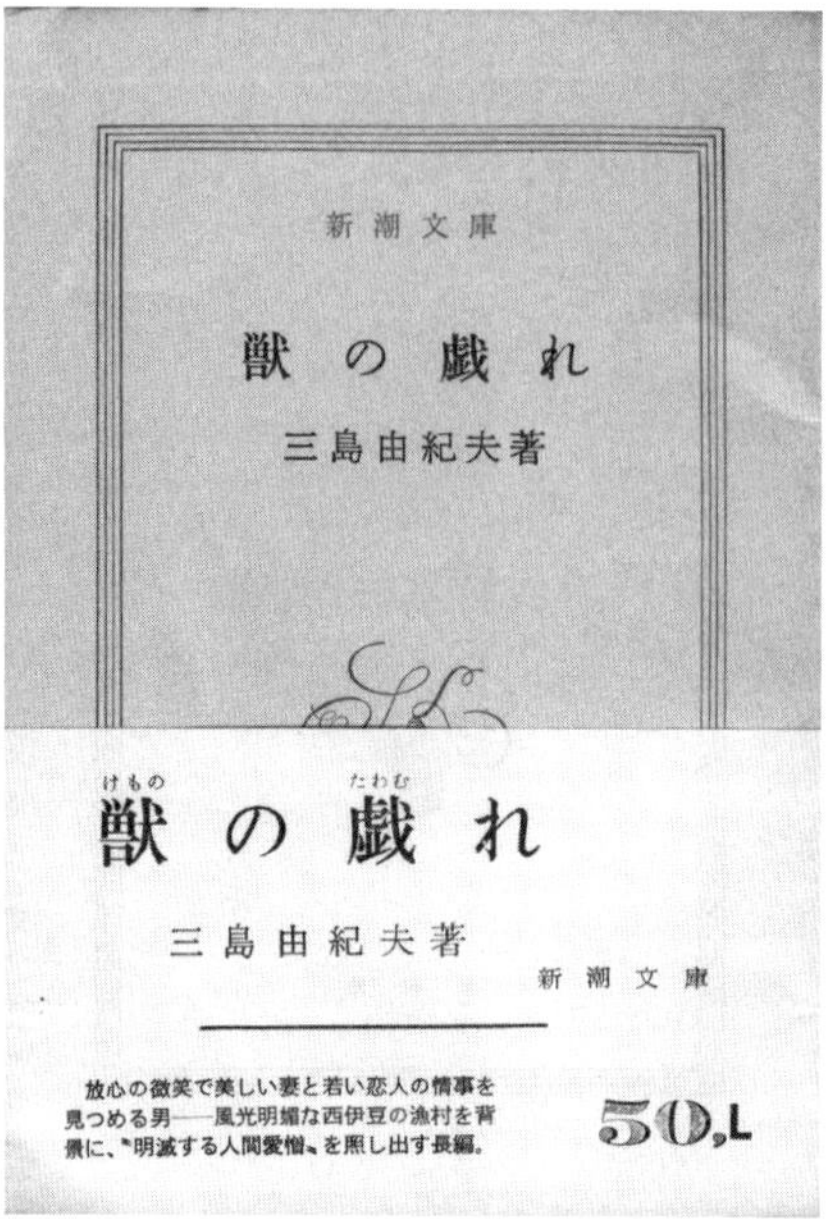

写真１　新潮文庫・獣の戯れ　初版　1966年

第一章　三島由紀夫小論「獣の戯れ」をめぐって

「音楽や絵画を解説しても何ものも伝えたことにならないのと同様に、小説の世界をいかに解説しようとしても、それは無駄な骨折りである。だが文学――特に小説――ではそれが可能であるかのような錯覚をもたされているのは奇妙なことだ。作品の梗概・背景・思想……それらが一体何を伝えたことになるだろうか。

文学は文体によってしか伝達され得ない、というのが『獣の戯れ』の作家の頑固な信念なのであって、作品があらゆる夾雑物の介入を許さない。作品自体が唯一の解答である。読者はよろしく文体の魅力を味わわれるがよい。

はじめから、何故こんな邪慳なものいいをしなければならないか、というと、何よりもこの小説自体がそれを主張してやまないからである。この小説はおせっかいな解説屋などが、ストーリーの要約や、もっともらしい思想の説明でお茶を濁すことができないようにちゃんと仕組まれているのである。これはいわば解説を峻拒するために作られたような小説であろう(1)」

これは三島由紀夫を魅了した田中美代子の解説の冒頭部分である。それまで全く無名だった田中美代子が、突然、新潮文庫・三島由紀夫著「獣の戯れ」（写真１）の解説を書いたのは、昭和41年（１９６６年）７月のことであった。多くの読者や評論家が「田中美代子とは何者か？」と思ったに違いない。この解説は、三島由紀夫自身が新潮社に申し入れたことで成就したものであった。

田中美代子は、中学生の頃から詩を書くのが好きな文学少女であった。高校時代に芥川龍之介が大好きな先生がいて、授業で

写真２ａ

写真２ｂ　獣の戯れ　新潮社宣伝用チラシ

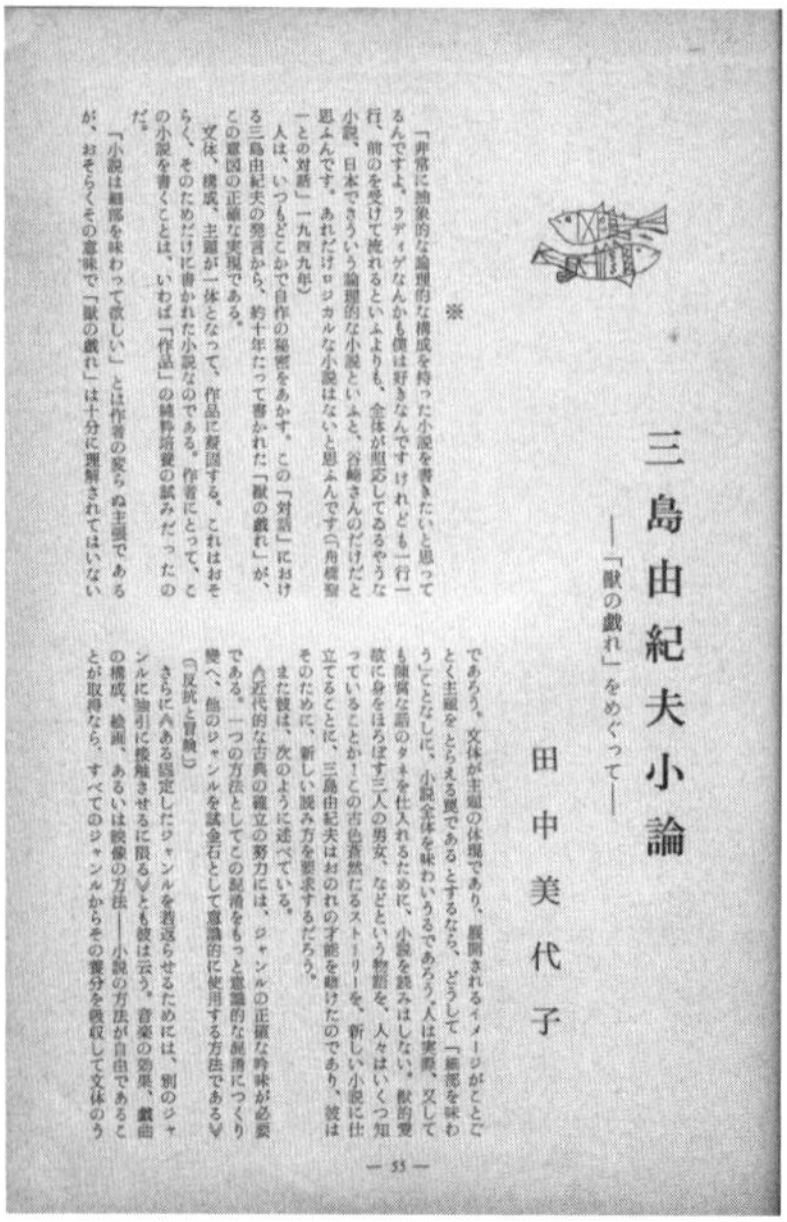

三島由紀夫小論
——「獣の戯れ」をめぐって——
田中美代子

※

「非常に抽象的な論理的な構成を持った小説を書きたいと思ってるんですよ。ラディゲなんかも僕は好きなんですけれども一行一行、前のを受けて流れるといふよりも、全体が照応してゐるやうな小説、日本でさういう論理的な小説といふと、谷崎さんのだけだと思ふんです。あれだけロジカルな小説はないと思ふんです（「舟橋聖一との対話」一九四九年）

人は、いつもどこかで自作の秘密をあかす。この「対話」における三島由紀夫の発言から、約十年たって書かれた「獣の戯れ」が、この意図の正確な実現である。

文体、構成、主題が一体となって、作品に凝固する。これはおそらく、そのためだけに書かれた小説なのである。作者にとって、この小説を書くことは、いわば「作品」の純粋培養の試みだったのだ。

「小説は細部を味わって欲しい」とは作者の変らぬ主張であるが、おそらくその意味で「獣の戯れ」は十分に理解されてはいないであろう。文体が主題の体現であり、展開されるイメージがことごとく主題をとらえる翼であるとするなら、どうして「細部を味わう」ことなしに、小説全体を味わいうるであろう。人は実際、又しても陳腐な話のタネを仕入れるために、小説を読みはしない。獣的愛欲に身をほろぼす三人の男女、などという物語を、人々はいくつ知っていることか！この古色蒼然たるストーリーを、新しい小説に仕立てることに、三島由紀夫はおのれの才能を賭けたのであり、彼はそのために、新しい読み方を要求するだろう。

また彼は、次のように述べている。

《近代的な古典の確立の努力には、ジャンルの正確な吟味が必要である。一つの方法としてこの混淆をもっと意識的な混淆につくり變へ、他のジャンルを試金石として意識的に使用する方法である》

（「反抗と冒険」）

さらに《ある固定したジャンルを若返らせるためには、別のジャンルに強引に接触させるに限る》とも彼は云う。音楽の効果、戯曲の構成、絵画、あるいは映像の方法——小説の方法が自由であることが取得なら、すべてのジャンルからその養分を摂取して文体のう

— 55 —

写真３ｂ

写真３ａ　文学者　1965年（昭和40年）

「芥川はなぜ自殺したのか」という話をした。田中はこの先生に感化されて芥川を愛読したが、芥川も太宰治も、なぜ文学者は最終的に自殺までいかなくてはいけないのかという疑問を持った。一方、田中が芥川と同じ系列と考えていた三島由紀夫は生を謳歌し、作品を発表していた。三島も非常に悲劇的な要素をもった文学であるにもかかわらず、なぜ三島は死なないのだろう。三島由紀夫は、文学によって救済されていることに期待を持って、田中は三島文学にのめり込んだ。

田中美代子は、早稲田大学仏文科に進学した。詩人では萩原朔太郎や大手拓次などを愛読したが、戦後詩には興味が持てなかった。詩壇を戦後詩が席巻しつつあり、詩の創作意欲は薄れていった。

その頃、田中は福田恆存の芥川龍之介論などの評論を読んで、このようなものなら私にも書けると考えた。福田の芥川論に「いずれにしても現代のわれわれは芥川龍之介のたたかいを出発点とし、これを克服しなければならないのです[2]」と記されていた。田中は、三島由紀夫に生きてほしいという祈りを込めて三島由紀夫論を書き始めた。三島由紀夫に対する世間の評判にはとても違和感があり、評論も的外れの物ばかりが目についた。田中は、三島由紀夫の新作の小説について論じてみようと考え「獣の戯れ」を選択した。

「獣の戯れ」は、書下ろし小説として書かれたものが、昭和36年6月から週刊新潮に連載され、9月に単行本が出版された。(写真2ａ、ｂ) さらに昭和39年5月に映画化された。田中は、映画を観たが三島作品とは程遠い内容であり、テーマを誤解してつまらない映画になっている、と感じた。皆が誤解している三島

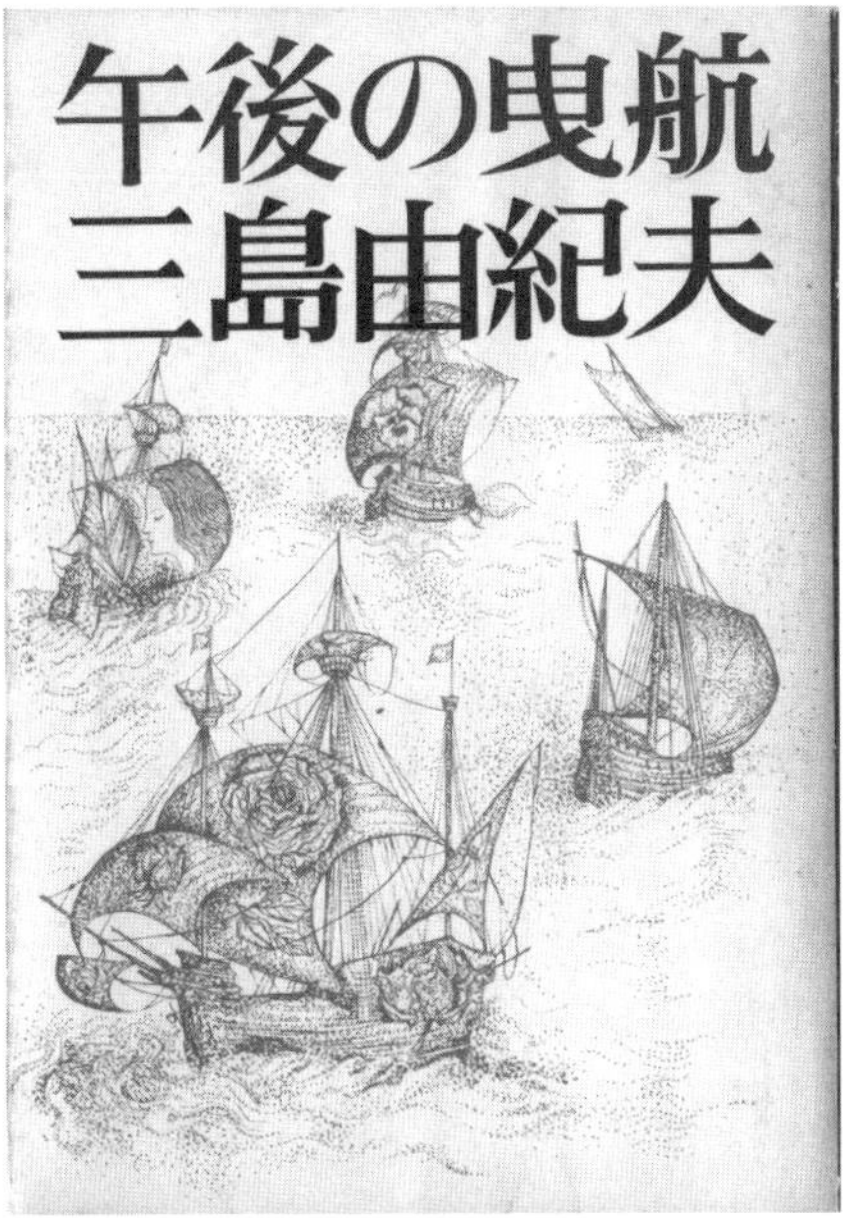

写真4　新潮文庫・午後の曳航　初版　1968年

由紀夫の核心に迫るものを書きたいと思った。

田中は、「三島由紀夫小論『獣の戯れ』をめぐって[3]」を書き上げると群像新人賞に応募してみた。田中は、少なくとも佳作くらいには入るだろうと思っていたが、何の評価も得られなかった。

田中はこの評論を、早稲田大学を中心にして丹羽文雄が主宰していた同人誌「文学者」の昭和40年12月号（写真3ａ、ｂ）に掲載してもらった。この評論の一番の読者は三島由紀夫だと考えた田中は、「私の三島由紀夫論を読んでください」の一行を書き添えて、この冊子を三島由紀夫に郵送した。

「『非常に抽象的な論理的な構成を持った小説を書きたいと思ってるんですよ。ラディゲなんかも僕は好きなんですけれども一行一行、前のを受けて流れるといふよりも、全体が照応してゐるやうな小説、日本でさういう論理的な小説といふと、谷崎さんの「卍（まんじ）」だけだと思ふんです。あれだけロジカルな小説はないと思ふんです』（『船橋聖一との対話』一九四九年）

人は、いつもどこかで自作の秘密をあかす。この『対話』における三島由紀夫の発言から、約十年たって書かれた『獣の戯れ』が、この意図の正確な実現である。

文体、構成、主題が一体となって、作品に凝固する。これはおそらく、そのためだけに書かれた小説なのである。作者にとって、この小説を書くことは、いわば『作品』の純粋培養の試みだったのだ。[3]（略）」

これは「三島由紀夫小論『獣の戯れ』をめぐって」の冒頭部分である。この評論を読んだ三島由紀夫は、新潮文庫「獣の戯れ」の解説を田中美代子が執筆することを新潮社に申し入れたのであった。群像新人賞の選考委員が全く評価し得なかった田中美代子の三島論を大絶賛したのは三島由紀夫本人であった。「私こそが三島由紀夫を理解しているという自負があったし、一番認めてもらいたかった人に認めてもらえて嬉しかった」と田中は言った。

三島由紀夫は、自身固有の確固たる審美眼を持った芸術家である。他者の評価等は全く気にしないで、いつも自分の目で見て評価していた。しかし、三島由紀夫の審美眼は群像新人賞の選考委員の審美眼とは比べ物にならないくらいに厳格なものであったと考えられる。

第二章　新潮文庫・午後の曳航・解説

「獣の戯れ」の解説の後に、田中は「観念の凶器について」（昭和42年2月）を「文学者」に、「芸術の死の領域」（昭和42年3

月）を日本読書新聞に発表している。これらの三島由紀夫論を三島が読んだか否かは不明である。

「獣の戯れ」の次に三島が新潮社を通じて田中美代子に依頼したのは、昭和43年7月15日発刊の、新潮文庫「午後の曳航」（写真4）の解説であった。

「『首領』は『世界は単純な記号と決定で出来上っている』という、その『単純な記号と決定』とは何を意味するのだろうか。

人はよく、小説の形式は自由だ、自由だというけれども、それはまさに小説が世界の『単純な記号と決定』をとりおとしてしまったことからはじまるのではないだろうか。とすれば、失格した物語作者――現代の小説家としての作者が、その物語の失地回復作業にのりだしたとしても不思議はないのである。[4]（略）」

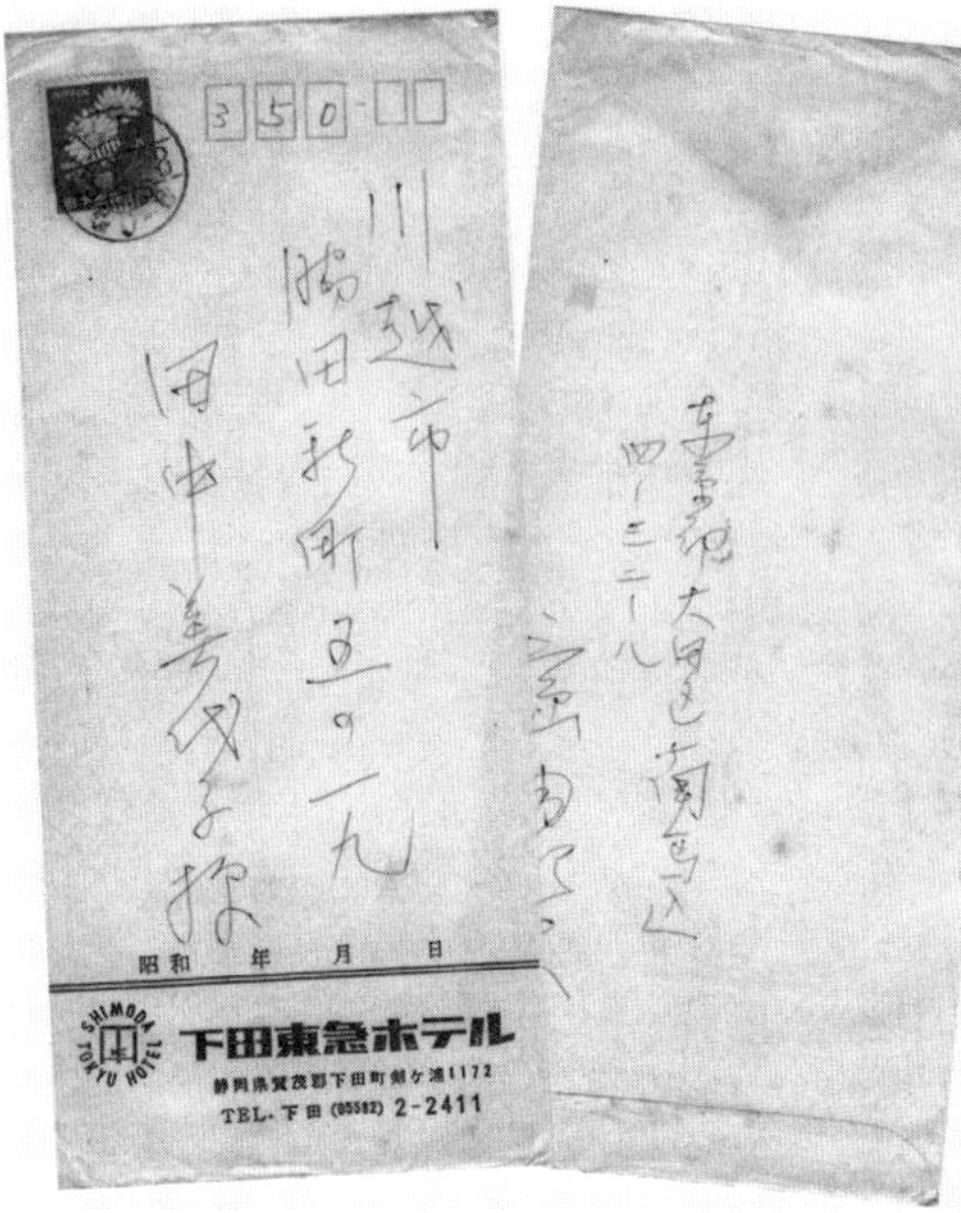

写真５ａ　田中美代子宛三島由紀夫書簡

これは新潮文庫「午後の曳航」の解説の冒頭部分である。「三島由紀夫のレター教室」を愛読していた田中は、礼状は深すぎず、近づきすぎてもいけないと自戒し、新潮文庫「午後の曳航」の解説を書かせて頂いた礼状を葉書に書いて三島由紀夫に郵送した。

三島は、昭和43年7月25日から一週間、楯の会第二回自衛隊体験入隊の訓練に参加した。帰京すると避暑のため下田の東急ホテルに滞在した。下田で過ごしていた三島に田中美代子の書簡が届けられた。三島は8月7日に返信（写真5ａ、ｂ）をしたためている。書簡は、スパイラルノートを破ったものが便箋に使用されている。

「拝復

旅先で、こんな学生みたいな紙の手紙でおゆるし下さい。一度田中さんの小生に関する御文章を拝見してから、ぜひ解説をお願ひしたいと思って、新潮社に申し入れ、だんだん図々しく、二冊もお願ひしてしまひました。

『獣の戯れ』も『午後の曳航』も、小品ではありますが、文壇では顧みられなかった作品で、しかも精魂こめて書いたものですから、どうしても貴女のやうな真のリズールの御解説をいただきたかったのです。

今の文壇には、小説書きも僅少なら小説読みも僅少です。藝術的努力はみんなムダな時代です。二冊とも実に美しい解説の文章を書いていただき、心からうれしく存じました。

夏のあひだ、文士の絶対来ない避暑地に身をひそめてをり、お

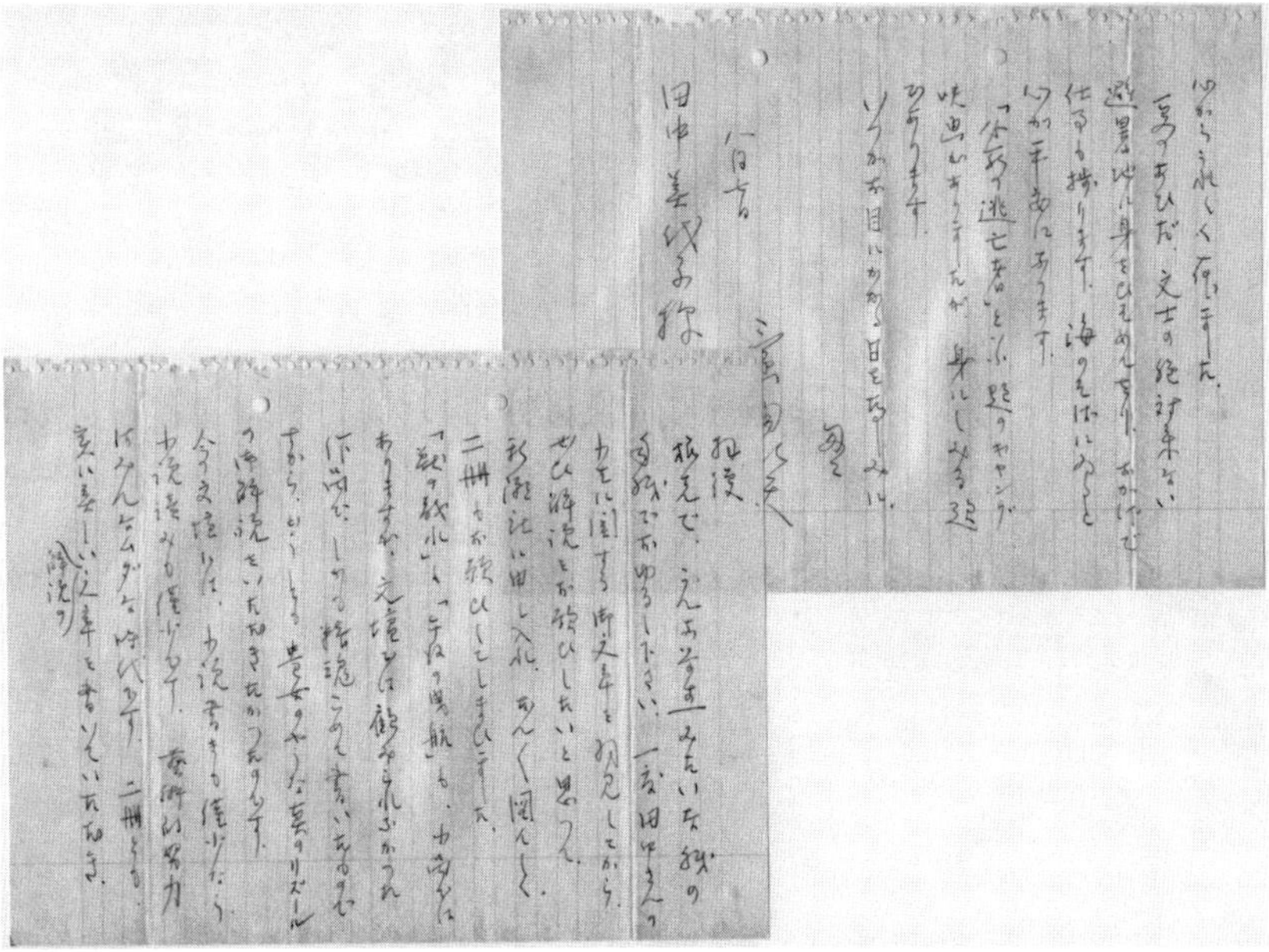

写真５ｂ　田中美代子宛三島由紀夫書簡　1968年

かげで仕事も捗ります。海のそばにゐると心が平安になります。『必死の逃亡者』といふ題のギャング映画がありましたが、身にしみる題であります。

いつかお目にかかる日をたのしみに。

匆々

三島由紀夫

八月七日

田中美代子様[5]」

三島由紀夫によって見いだされ、三島由紀夫によって発表の場を与えられた田中美代子は、生涯の仕事として三島由紀夫論を書くことを、三島のこの書簡によって決定づけられた。

第三章　ロマン主義者は悪党か

「ロマン主義者は悪党か」は昭和44年10月号の同人誌「文学者」（写真6ａ、ｂ）に掲載された。野口武彦著「三島由紀夫の世界」に書かれた三島由紀夫と三島作品に対する酷評に対する反論である。

「私は、野口武彦氏によって書かれた評論『三島由紀夫の世界』を近ごろまれにみるドラマティックな批評と呼ぶに躊躇しない。なぜなら、評家によるこの『危険な作家』の『危険』の分析が、まさにミイラとりのミイラよろしく、評家自らの内なる危険の告白に到達する道程にほかならないからである。〈これまで書かれた多くの三島文学批判にわたしがあきたりなく思うのは、それらが大部分、評家の信仰告白的追随であるか、イデオロギー的批判であるかのいずれでしかない。〉

と野口氏はいっている。とすると野口氏の批評的立場はどのよ

写真６ａ　文学者　1969年（昭和44年）

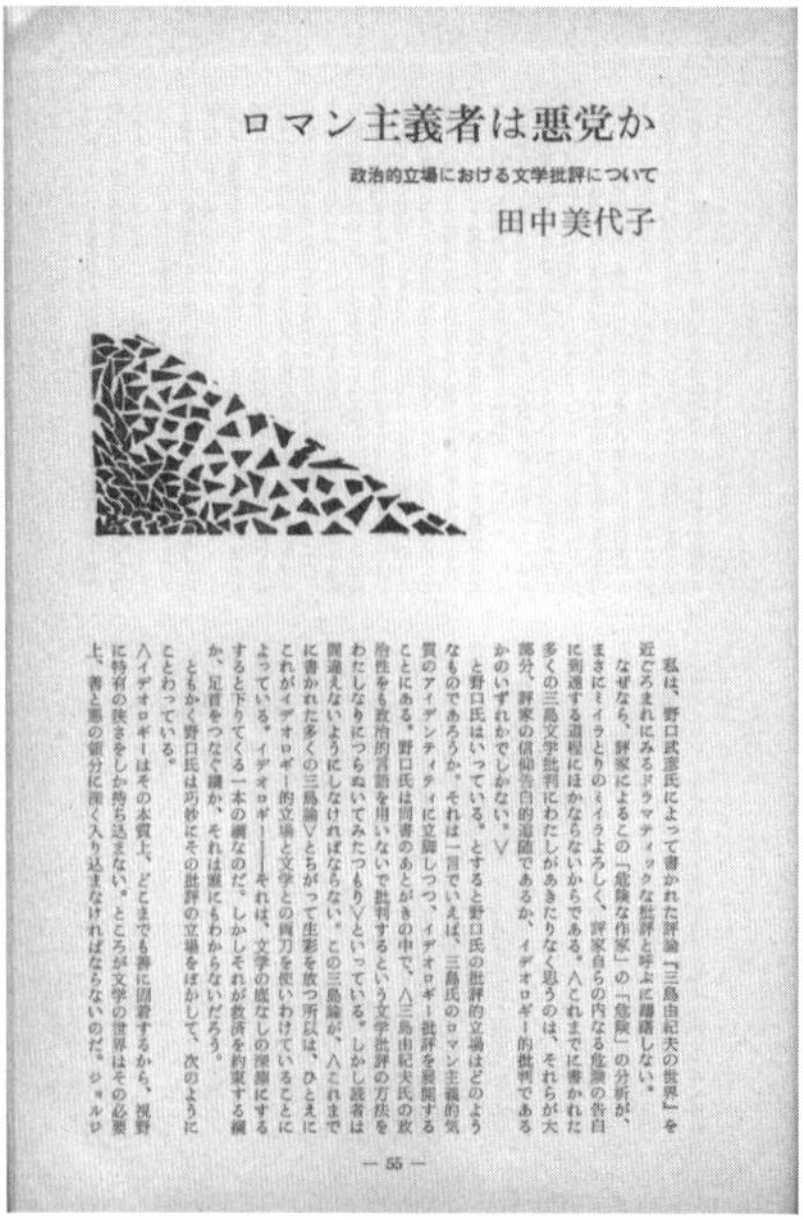

ロマン主義者は悪党か

政治的立場における文学批評について

田中美代子

私は、野口武彦氏によって書かれた評論『三島由紀夫の世界』を近ごろまれにみるドラマティックな批評と呼ぶに躊躇しない。

なぜなら、評家によるこの「危険な作家」の「危険」の分析が、まさにミイラとりのミイラよろしく、評家自らの内なる危険の告白に到達する道程にほかならないからである。〈これまでに書かれた多くの三島文学批判にわたしがあきたりなく思うのは、それらが大部分、評家の信仰告白的追随であるか、イデオロギー的批判であるかのいずれかでしかない。〉

と野口氏はいっている。とすると野口氏の批評的立場はどのようなものであろうか。それは一言でいえば、三島氏のロマン主義的気質のアイデンティティに立脚しつつ、イデオロギー批評を展開することにある。野口氏は同書のあとがきの中で、〈三島由紀夫氏の政治性をも政治的言語を用いないで批判するという文学批評の方法をわたしなりにつらぬいてみたつもり〉といっている。しかし読者は間違えないようにしなければならない。この三島論が、〈これまでに書かれた多くの三島論〉とちがって生彩を放つ所以は、ひとえにこれがイデオロギー的立場と文学との両刀を使いわけていることによっている。イデオロギー——それは、文学の底なしの深淵にするすると下りてくる一本の綱なのだ。しかしそれが救済を約束する綱か、足首をつなぐ綱か、それは誰にもわからないだろう。

ともかく野口氏は巧妙にその批評の立場をぼかして、次のようにことわっている。

〈イデオロギーはその本質上、どこまでも善に固着するから、視野に特有の狭さをしか持ち込まない。ところが文学の世界はその必要上、善と悪の領分に深く入り込まなければならないのだ。ジョルジ

— 55 —

写真６ｂ

うなものであろうか。それは一言でいえば、三島氏のロマン主義的気質のアイデンティティに立脚しつつ、イデオロギー批評を展開することにある。野口氏は同書のあとがきの中で〈三島由紀夫氏の政治性をも政治的言語を用いないで批評するという文学批評の方法をわたしなりにつらぬいてみたつもり〉といっている。しかし読者は間違えないようにしなければならない。この三島論が、〈これまで書かれた多くの三島論〉とちがって生彩を放つ所以は、ひとえにこれがイデオロギー的立場と文学との両刀を使いわけていることによっている[6]」

これは「ロマン主義者は悪党か」の冒頭部分である。田中は、この表題を後に出版された最初の著作集のタイトルにも使用していて、その評論集のあとがきに「評判になった野口武彦氏の作家論『三島由紀夫の世界』に対する反論の試みである。大体、私の批評の対象は評論であることが多い。我が国において問題の弁証法的発展は行われ難く、現在大方の論争は不毛である。しかし、秀れた評家は、どんな場合でも私の思考の旅の先達である[7]」と記している。

「ロマン主義者は悪党か」の内容は、田中美代子が三島由紀夫の代弁者となって記したもののようにも考えられ、三島自身が最も言いたかったことだったのではないだろうか。

三島由紀夫は、昭和45年に刊行された「三島由紀夫論」の著者・田坂昻宛の昭和45年9月3日の書簡に、

「野口武彦氏の『三島由紀夫の世界』といふ本が出て、一読、その傲慢と、その図式化とに、いひやうのない反感を感じたおぼえがある[8]（略）」と記している。

第四章　「豊饒の海　暁の寺」論

「豊饒の海　第三巻　暁の寺」は、昭和43年9月から昭和45年4月まで月刊「新潮」に連載された。昭和45年4月1日発売の月刊「新潮」に第20回の連載を終えると、新潮社は早速掲載誌をまとめて田中美代子に届け、PR誌「波」に掲載する「暁の寺」論を依頼してきた。

田中美代子の「覗く者と覗かれる者の密通劇――三島由紀夫著『暁の寺』（豊饒の海　第三巻）の顕わすもの――」は、「波」（昭和45年7・8月合併号）（写真7）に掲載された。「暁の寺」は唯識論が難解な小説である。

田中は「後に本多の研究の結果として紹介される大乗仏教の唯識論は、難解なものであるが、ここで興味深い点は、それが西欧の終末思想にみられる生の悲哀、生の否定を根拠にしたものではなく、『世界は存在しなければならない』という至上命題による、力強い生の肯定の哲学であり、世界のまるごとの容認であることであろう[9]」と記している。また、「阿頼耶識の様態」を「末耶識が、個人的自我意識のすべてを含み、絶対の個我を主張し、他の六識（眼、耳、鼻、舌、身、意）をも動かして我執薫習を重ねるものであるとすれば、これを揚棄して設想された究極の識としての阿頼耶識、その『一瞬もとどまらない「無我の流れ」』こそが救済であろう。末耶識が『尊大倨傲に、世界を一つの蹴鞠のやうに自在に取扱はうと』し、『いはゆる近代的自我の形成も、その自我哲学の迷蒙も、みなここに発している』と解釈されるにおいてをや、である[9]」と説明している。

覗く者と覗かれる者の密通劇

――三島由紀夫著『暁の寺』（豊饒の海 第三巻）の顕わすもの――

田中美代子

「豊饒の海」は、第三巻『暁の寺』に到って主人公と副主人公の交替という重要な機軸の転換が行われる。この視点の移動によって作品全体のパースペクティブが与えられ、構造上の秘密が開顕される。時計は柱からはずされ、裏蓋を開かれて、活動するその心臓部を露出するわけである。即ち、一、二巻において主人公であった転生する人物、松枝清顕、――飯沼勲は、三巻において月光姫に生れ変った（らしい）とき、悲劇の主人公の位置から、それまでワキをつとめていた認識者本多繁邦の客体になってしまう。客体である以上、女になったのは不思議ではあるまい。

清顕において男性の「感性」を、勲において男性の「行動」を描いた作者は、次にはどうしても、この分別と理智の権化である壮年の法律家のうちに、男性の「理性」を追求しなければならなかったのであろう。何故なら彼こそは、物語の動因であり、作者自身の自画像である筈だからだ。そして本多が主人公になった以上、清顕も勲も、ある意味では女の同類項として、等しなみに客体のうちに繰り入れられ、彼方の世界に飛び去ってしまうほかはない。彼らの生は本多の夢に包摂され、本多の認識を軸として、ぐるぐるまわる輪まわしの一回転にすぎぬものになる。つまりこの輪廻転生の物語とは、夢みる人と夢との出会いの物語であることがはっきりしてくるのである。

それにしても、光彩陸離たる夢みられた存在、男性の感性や行動にくらべて、この認識と理智とは、何と「立派な」主人公であろう！

「形而上的な喜びに向ってがつがつと牙を鳴らし涎を垂らしてゆくこの接近に、本多は自分の肚に密林を潜行する獣の爪を感じた。さうだ、彼はこの喜びのためにだけ生れたのだ」

と作者はそれを説明する。認識の役割とは、その獲物の導くところ、どこまでも行くということである。たとえ地獄の釜の底までも。そして、そのときこそ認識は行動と等価のものになるのだ。さながら目の化物である彼は、見ることに憑かれ、見ることによって底なしに堕落する。法曹界の権威であり、温厚篤実なこの中老の紳

20

写真7　「暁の寺」書評　波　1970年

田中美代子の「暁の寺」論は誰よりも早く発表された。そして、この後、三島が自決するまでの3ヶ月間、まともな「暁の寺」論は皆無であった。すでに三島由紀夫の自決の日も決まっていた時期である。昭和45年7月、単行本（写真8）が刊行されると、三島は毛筆献呈署名を入れて田中美代子に進呈した。

第五章　三島由紀夫短篇全集全六巻

三島由紀夫短篇全集全六巻（写真9a、b）は、昭和46年1月20日に講談社より発刊された。当然のことながら、三島由紀夫は昭和45年11月25日に自決しており、この短編集は三島の没直後の出版となった。昭和40年に新書版のロマンブックスの三島由紀夫短篇全集全六巻として既に出版された同じ短編集を、もう一度それも今度は函に入ったハードカバーの装幀で出版しようというものであった。三島だけが知っていたことであるが、この短篇全集

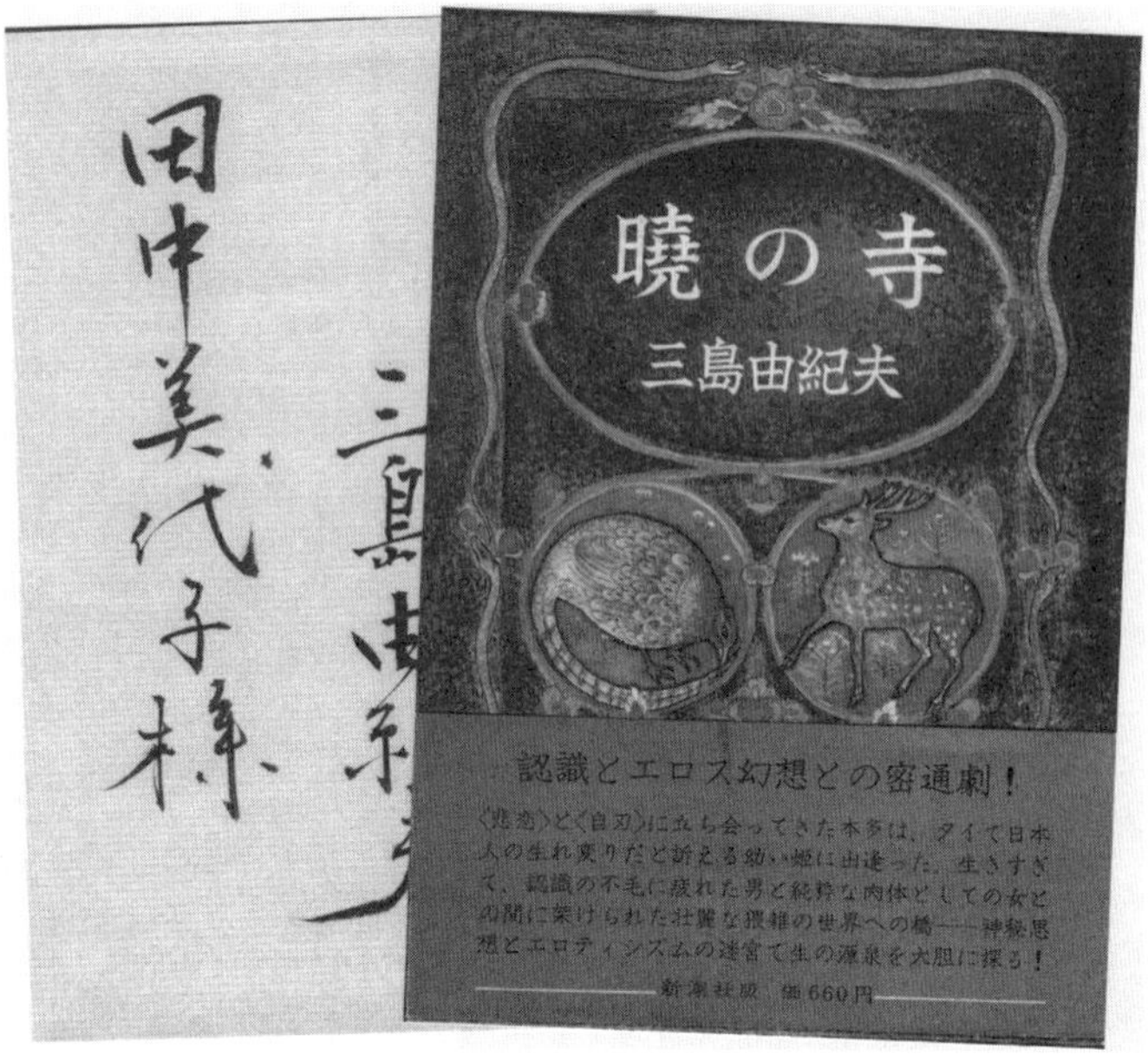

写真8　田中美代子宛署名　暁の寺　1970年（昭和45年）

は三島の死後に出版されることを見越して計画されたものであった。

　昭和45年12月28日に作成された内容見本の「刊行にあたって」に

「日本中を衝撃の渦に包み込んだ三島由紀夫の死から二カ月が経過しようとしている。昭和四十五年十一月二十五日の事件をどのように受けとめるかは各人各様であろうが、三島由紀夫の死が文学と政治に突出した問題を提起しながら、芥川龍之介、太宰治の死とともに、永遠に理解されない未知の部分を秘めて存在することは確実である。本社はここに、著者の生前に予定されていた短編全集全六巻を刊行する。収められた七十五の作品は、いずれも短編の形式を生かしきり、芸術の最も高い完成度を示す名作ばかりである。そして、長編小説、戯曲、評論へとつながる絢爛たる文学活動への萌芽と主題が最も濾過された形で純粋に結晶している。短編こそ、三島文学の精華であり、著者自身が愛惜してやまなかった掌中の珠玉であった。

　私達は現在ほどに、これらの作品を読み続けなければならないという衝迫の思いに駆り立てられる時をかつて知らない。聳立する文学世界に真向から対峙し、踏破することが、私達の最大の課題なのである。三島文学はそうした強固で持続的な読書の営みの前に、より一層の光を発して出現するに違いない」[10]とある。

　また、「本全集の特色」に

「●処女作『花ざかりの森』から名作『憂国』を経て『剣』にいたる三島短篇文学の華麗な軌跡を辿り、三島由紀夫の鮮烈な精神史を一望のうちに示す。

●各巻に収録作品執筆当時の著者肖像写真を口絵として収める。

●全巻に著者自身の『あとがき』を収録。『あとがき』は各作品の執筆上の秘密を語ると同時に、著者の思想遍歴をも示し、三島文学研究に欠かすことのできない資料となっている。

●三島文学に新たな光をあてる、新進気鋭の評論家、田中美代子の解説を月報として全巻に収録。

写真９ａ　内容見本　1970年（昭和45年）

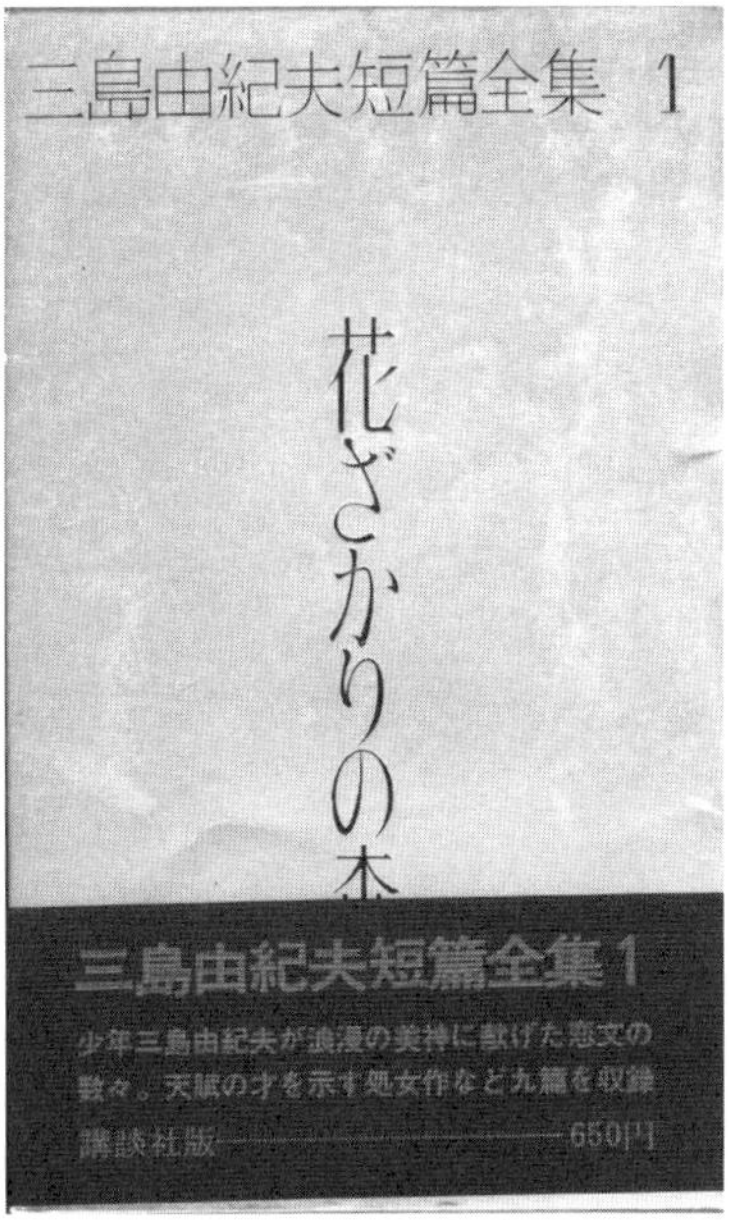

写真９ｂ　三島由紀夫短篇全集　1971年

●銀のメタリックな材質を生かして三島文学の持つ繊細な感受性を大胆に表現。また現代感覚を生かし四六変型判というハンディでクールな造本で従来の全集のイメージを破っている[10]」とある。

月一回の配本を初回だけは2冊にしたのも、その初回配本の2冊を「第一巻　花ざかりの森」と「第六巻　剣」としたのも、第六巻のタイトルを「雨の中の噴水」から「剣」に変更したのも、そして解説を月報として全巻に収録し、解説に田中美代子を指名したのも、すべて三島由紀夫の指示であった。

第一巻と第六巻（写真10ａ、ｂ）に添えられた解説は三島の生前に書かれた。第六巻の解説「三島文学の理想像の完結」に田中美代子の「追記」がある。

「三島由紀夫氏の壮烈無比な最期に接し、悲しみのあまりいうべき言葉を知らない。

塚も動け我泣声は秋の風　芭蕉

尚この解説の一、六両巻は、三島氏の生前にすでに書かれていたものであり、三島氏の目に触れる機会があった。私は無意識のうちに在世中の三島由紀夫氏に対して追悼文を捧げていたことを知った。それと知らずに書かされていたのだという思いを禁ずることができない。が、それも当然だろう。

三島由紀夫氏の全作品は、すでに処女作から、私たちに手渡された遺書だったのである。

あらゆるものになることができた三島由紀夫氏は、最後に自分の一等なりたいものになった。即ち『剣』の国分次郎に。（昭和四十五年十一月二十七日[11]）」

第六巻のタイトルを「剣」に変更し、自分が読める時期に解説

三島由紀夫短篇全集 6

剣

月報2

東京都文京区音羽2—12—21講談社／1971・1

三島文学の理想像の完結

田中美代子

「真の自叙伝は、小説家が、彼には客観的に見える仮作の庇護の下に、それとは知らずして書いた自叙伝である」とアンドレ・モロワはいっているが、六巻の短篇集を通して、作者の登場する小説、いわゆる私小説が殆ど数えるほどしかないことに、読者は気づかないわけにはいかないだろう。それなら作者はどこにいってしまったのだろうか。

例えば、この巻におさめられたものでは、作者とおぼしき人物が姿をあらわすのは、「帽子の花」ただ一作である。

作者は突然サンフランシスコのユニオン・スクウェアの只中に出現する。「私の心は日本を発つときに、戦争の幻影に充たされていた」と彼はいう。彼はこの平和な広場の市民たちの上に、血みどろの惨劇を招現させる魔界からの特派員のようだ。無心に自分の指をみつめている昼休みのオフィスのタイピストの上に、ヴェネチア派の受胎告知の絵を重ねあわせないではいられないその同じ視線で、彼はただちに眼前の世界を滅亡させる。まさに目ばたき一つによって。

私たちはここで、作家の頭脳の暗箱のジャバラの中で行われている、その秘密の変形作用に参与することができるわけだ。作者は明らかに生物を石に変えるメドゥサの視線を持ち、現存の世界の上に存在しない死の世界を照射し、存在界を非在界に変貌させるため

1

写真10a　三島由紀夫短篇全集　月報

た

そして人々の非難は、まさにその情死と大義の結合による至福の神聖に向って集中したのである。

追記

三島由紀夫氏の壮烈無比な最期に接し、悲しみのあまりいうべき言葉を知らない。

塚も動け我泣声は秋の風　芭蕉

尚この解説の一、六両巻は、三島氏の生前にすでに書かれていたものであり、三島氏の目に触れる機会があった。私は無意識のうちに在世中の三島由紀夫氏に対して追悼文を捧げていたことを知った。それと知らずに書かされていたのだという思いを禁ずることができない。が、それも当然であろう。

三島由紀夫氏の全作品は、すでに処女作から、私たちに手渡された遺書だったのである。

あらゆるものになることができた三島由紀夫氏は、最後に自分の一等なりたいものになった。即ち「剣」の国分次郎に。（昭和四十五年十一月二十七日）

三島由紀夫短篇全集　全六巻内容

第一巻　花ざかりの森＊
花ざかりの森／彩絵硝子／苧菟と瑪耶／みのもの月／祈りの日記／岬にての物語／煙草／中世／軽王子と衣通姫

第二巻　夜の仕度
夜の仕度／春子／サーカス／家族合せ／殉教／頭文字／山羊の首／獅子／幸福という病気の療法／大臣／他

第三巻　遠乗会
魔群の通過／訃音／親切な機械／孝経／火山の休暇／花山院／果実／鴛鴦／日曜日／遠乗会／牝犬／偉大な姉妹／他

第四巻　真夏の死
箱根細工／椅子／死の島／翼／クロスワード・パズル／真夏の死／美神／江口初女覚書／旅の墓碑銘／卵／花火／他

第五巻　鍵のかかる部屋
ラディゲの死／鍵のかかる部屋／復讐／詩を書く少年／志賀寺上人の恋／海と夕焼／施餓鬼舟／橋づくし／女方／他

第六巻　剣＊
百万円煎餅／スタア／憂国／苺／帽子の花／魔法瓶／月／葡萄パン／真珠／雨のなかの噴水／切符／剣

定価各巻六五〇円
＊印既刊・次回配本第三巻（三月二〇日刊行予定）

6

写真10b　月報追記（田中美代子）

を書かせたことを考えると、三島は特に田中美代子の「剣」の解説を読みたかったと思われる。

田中は「『強く正しい者になること』を理想として生き、そして死ぬ『剣』の国分次郎の物語は、『見られる人間』に投影された一種の芸術家小説であることは疑いない。生き続けることは純潔の敗北である、という認識によって次郎は自殺する。従ってその死は敗北ではなくて勝利の証であり、英雄像の完成なのである」[11]と記している。

田中が「三島由紀夫氏は、最後に自分の一等なりたいものになった。即ち『剣』の国分次郎に」と記しているので、「国分次郎」を「三島由紀夫」に変えると、田中が書いた解説はそのまま三島由紀夫に捧げた追悼文になる。

「生き続けることは純潔の敗北である、という認識によって三島由紀夫は自殺する。従ってその死は敗北ではなくて勝利の証であり、英雄像の完成なのである」

第六章　三島由紀夫の死

田中美代子は、

「私は生前の三島由紀夫に、ついに一度も会うことがなかった。チャンスはいつか自然に来るだろう、と考えていたのだし、それが来なかったのも、何かの因縁にちがいない。

ともかく、この十年来、私にとって三島由紀夫は殆ど文学の同義語だった。私は彼の生き方から一瞬も目をはなすことができなかった。それは彼が着々と準備しつつある死のためであったろうか？

あれほど華やかな話題の渦中にありながら、彼はつねにあまり

にも孤独だったように思われる。彼は自分の作品に対する人々の無理解を嘆いていたが、彼の前で人々をたじろがせるものが、ひとえに彼自身の、その打ち破りようもない孤独の完璧性にあったことは疑いをいれない。[12]（略）」と記している。昭和43年8月7日の書簡に「いつかお目にかかる日をたのしみに」と書いておきながら、それから2年3ヶ月の間、三島は田中に会わなかった。

また、田中の方でも、三島由紀夫の演劇を観に行った時に、会場で三島の姿を見かけたことが幾度かあった。一緒に行った友人に「あなた三島由紀夫に挨拶していらっしゃいよ」と勧められることがあったが、田中は三島ときちんと面会したいと希望していたので挨拶しないままでいた。

田中は「いつの日か三島由紀夫は私に会わないでいいと決めたのよね」と言った。私は三島の蹶起に参加できず、残された楯の会会員が私に言った言葉を思い出した。「三島由紀夫に会わなくて本当に良かったね。会っていたらそんなに好きではいられないよ」と言うのであった。

田中は、

「彼の最後の主張が、『自分の国を、自分の手で守れ』という、簡明な政治的主張であったのは意味の深いことである。その諫言を狂気呼ばわりした人々は、昭和四十五年十一月二十五日白日の下、正気と狂気とが完全に入れ替っていたことに気づきさえもしなかったのである[12]」と記している。

第七章　ロマン主義者は悪党か（単行本）

「ロマン主義者は悪党か」は、昭和46年4月に新潮社より発刊された田中美代子の最初の評論集である。（写真11）

「目次」に、

「Ⅰ
陰画としての三島由紀夫論
迷宮への旅──〈獣の戯れ〉①──
禁じられた言葉──〈獣の戯れ〉②──
夢想家の逆転劇──〈午後の曳航〉──
三島文学の女性
覗く者と覗かれる者の密通劇──〈暁の寺〉──
三島由紀夫の死
ある批評家の半生──中村光夫論──
匿名の神話──安部公房論──
文学における〈女性〉の逆説──円地文子をめぐって──
Ⅱ
愛の創造──女とナルシス──
観念の凶器
精神分析医とドン・ファン
斫断家の運命
狂気の日常
弱虫男の告白
現代芸術の冒険
Ⅲ
文学とは何か
大都会の私
Ⅳ
ロマン主義者は悪党か
──政治的立場における文学批評について──

あとがき」とある。

「三島由紀夫小論『獣の戯れ』をめぐって」は、「陰画としての三島由紀夫論　迷宮への旅――〈獣の戯れ〉①――」に表題が改められている。田中は「ことに初めて活字になった『迷宮への旅』は沈黙の繭から身をふりほどこうとして悪戦苦闘の末、やっとおぼつかない片言で喋りはじめた稚拙な作品である」[7]と回想している。

田中は「主として作家論であるが、三島由紀夫の作品論、解説が多い。私にとって三島文学は殆ど文学そのものといってもいい位で、関心が深かった。しかし生前の解釈では不足の点がある。〝陰画として〟とタイトルをつけた所以である」[7]と説明している。田中美代子が「陰画として」の言葉を「豊饒の海・天人五衰」の「透の手記」の「僕は欠如を負うて生まれたのではない。この世にありえないほどに完璧な人間の、しかも陰画として生まれたのだ」[13]から引用したであろうことは、三島ファンであれば誰でも気が付くであろう。

写真11　ロマン主義者は悪党か　1971年

第八章　三島由紀夫全集

三島由紀夫全集（全35巻・補巻1）は、昭和48年4月から51年6月に出版された。（写真12 a、b）「刊行の辞」に「三島由紀夫氏は、昭和四十五年十一月二十五日朝、ライフワーク『豊饒の海』最終章を脱稿し、その日の午後、あの苛烈な《自決》を遂げたのであった。言わば氏は、自己の文学的生涯の絶頂に立って他界したのである。それは、さながら、生命の最後の激しい燃焼を思わせるものであった。享年四十五歳である。

思えば氏は、十三歳で、はやくも処女作『酸模』『座禅物語』を世に問い、さらに昭和十九年、混沌たる大戦のさなかに、日本王朝文学の情念をみごとに伝える処女小説集『花ざかりの森』を刊行した。弱冠十九歳、驚くべく早熟なデビューであった。爾来、その稀にみる絢爛たる才能をほしいままに、名作『仮面の告白』『潮騒』『金閣寺』等を続々と発表し、日本のみならず世界の読書界に、大きな文学的遺産を残したのであった。

氏の活動は、真に多彩であった。小説家としての業績は言うまでもない。劇作家として、また評論家としても秀抜であった。

氏は、昭和四十五年十一月中旬、小社に対して、《全集》の刊行を託された。かいりみれば、『死を決意した』うえでの委嘱であった。小社は、氏の遺志を最大限に汲み、いまは故人となられた川端康成氏をはじめ、最高の監修者・編纂者を得て、ここに《三島由紀夫全集》を刊行する栄誉を得たのである。

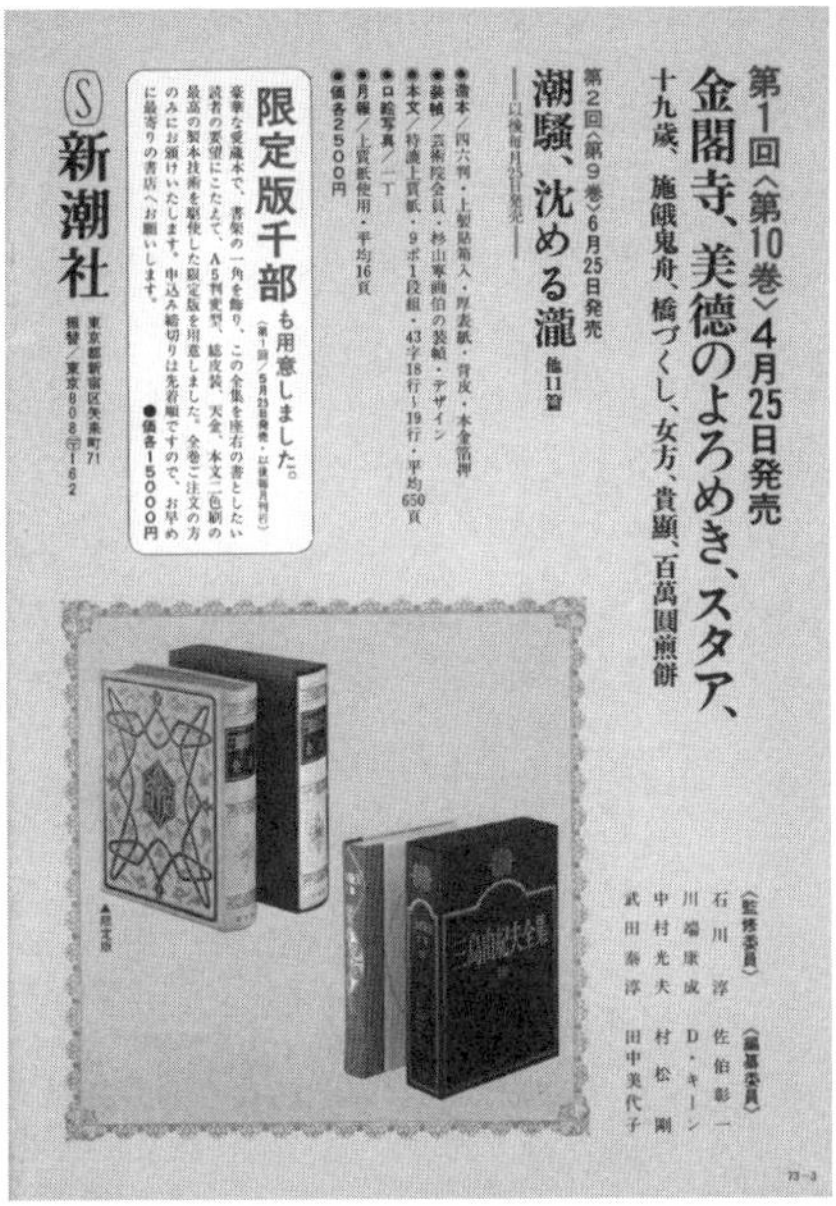

写真12ｂ

写真12ａ　三島由紀夫全集　内容見本

三島由紀夫氏はもはや亡い。しかし、氏の文学作品は永く生きつづけるであろう……

江湖の士の御支援を願ってやまない。

昭和四十八年三月　新潮社[14]」とある。

監修委員は、石川淳、川端康成、中村光夫、武田泰淳で、編纂委員は、佐伯彰一、ドナルド・キーン、村松剛、田中美代子であった。内容見本（写真12ｃ）に監修委員と編纂委員の推薦文が掲載されている。川端康成は、昭和47年4月17日に他界したため、月刊「新潮」昭和46年1月号に掲載された「三島由紀夫」の抄が掲載された。

推薦文は

「石川淳　華麗なる焚書
中村光夫　心の劇
武田泰淳　稀有の天才
佐伯彰一　疾走者の悲しみ
ドナルド・キーン　刊行を喜ぶ
村松剛　絢爛たる花々
田中美代子　逆説的営為」である。

田中美代子の名前が最後にあるのは象徴的である。この全集から30年後の決定版三島由紀夫全集の編集で、再び指揮を執ることができたのは田中美代子一人であった。「逆説的営為」に、

「三島文学とは、貶められ、蹂躙され、飼いならされた戦後精神史の流れを逆転せしめた唯一のスキャンダルだ。彼は怪力をふるってその猛獣の鎖を解き放ち、そこに君臨していた諸々の観念の慇懃な調教師たちを唖然たらしめたのである。

ここに遺された作品のすべては、思想の肉体化という逆説的営

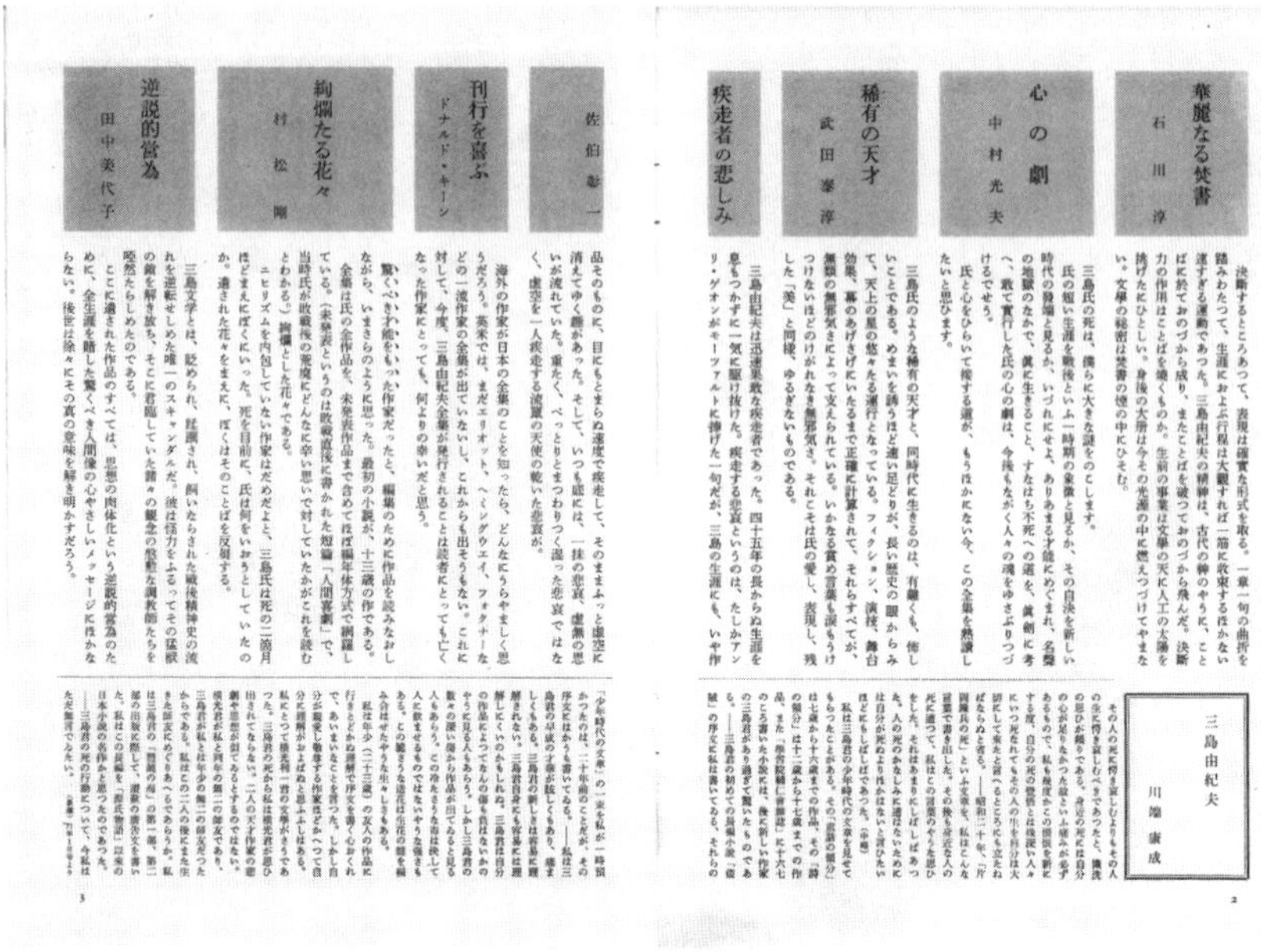
華麗なる焚書　石川淳
心の劇　中村光夫
稀有の天才　武田泰淳
疾走者の悲しみ　佐伯彰一
刊行を喜ぶ　ドナルド・キーン
絢爛たる花々　村松剛
逆説的営為　田中美代子
三島由紀夫　川端康成

写真12ｃ　三島由紀夫全集　内容見本　1973年

為のために、全生涯を賭した驚くべき人間像の心やさしいメッセージにほかならない。後世は徐々にその真の意味を解き明かすだろう[15]」とある。

第九章　映画・午後の曳航

「午後の曳航」は、1976年（昭和51年）4月に封切られた。配給は日本ヘラルド映画である。

「スタッフ
製作　マーチン・ポール
監督・脚本　ルイス・ジョン・カルリーノ
撮影　ダグラス・スロクーム
音楽　ジョン・マンデル
編集　アンソニー・ギブス
原作　三島由紀夫
キャスト
アン・オズボーン　サラ・マイルズ
ジム・キャメロン　クリス・クリストファーソン
ジョナサン・オズボーン　ジョナサン・カーン
パーマー夫人　マルゴ・カニンガム
首領　アール・ローデス
2号　ポール・トロピア
4号　ゲイリー・ロック
5号　ステファン・ブラック
リチャード・ペティット　ピーター・クラハム
マリー・イングラム　ジェニファー・トールマン」

A3版2枚とA4版6枚計8枚のプリントを帙に収めた非売品

写真13ａ　午後の曳航　映画宣伝材料　1976年

の宣伝材料が残されている。（写真13ａ、ｂ、ｃ）これには、
磯田光一（文芸評論家）　海の栄光とはなにか
虫明亜呂無（作家）
「午後の曳航」—デボンの風景について—
川島勝（講談社インターナショナル編集長）
「午後の曳航」のころ　—三島由紀夫の想い出—
のエッセイと、
高橋睦郎（詩人）
岸田今日子（女優）
田中美代子（文芸評論家）
ドナルド・キーン（コロンビア大学教授）
藤井浩明（映画プロデューサー）

写真13ｂ　午後の曳航　映画宣伝材料

■三島由紀夫＝年譜

＊完璧な美しさで再現された三島文学の極致！

◆高橋睦郎氏（詩人）

この映画を観ると、小説「午後の曳航」の主人公がじつは少年たちなのだということに、いまさらながら気づく。少年たちの純粋さが大人の不純さを罰する物語なのだと。そしてまた、小説家三島由紀夫の死は少年平岡公威が大人三島由紀夫を罰した刑罰だったのだ、という気さえして来る。原作の横浜は映画ではイギリスの美しい港となっているが、物語の純粋性を高めている意味で、これは成功だろう。母親役ことにその怒りの表情は素晴しい。

◆岸田今日子さん（女優）

サラ・マイルズがあまり大胆に、女の美しさも醜さもさらけ出すので、私は呆然として、「あんなに何もかも見せちゃっていいものだろうか。少しは残しといた方がいいのではなかろうか。」と思ったほどでした。そして又、此の映画の決めてになる少年達が、全くイメージ通りなのにも驚きました。この事だけ取り出しても、残念ながら日本では出来なかった映画だと思います。此の見事な作品を観た三島さんの、会心の笑いが聞こえて来る様でした。

◆田中美代子さん（文芸評論家）

三島文学の官能性と主題の映像化、という難題を、これはまた何と大膽に、見事になしとげたものだろう！それはまるで外国人によって盗みとられてしまったようだ。
完璧な登場人物。ことにサラ・マイルズの年増女の愛らしいエロティシズム。思春期の美少年の残酷な殺人事件。海と船と港町と、細部にわたるイメージのシンボリックな美しさ。……三島由紀夫が見たとしたら、おそらく激賞することだろう。

◆ドナルド・キーン氏（コロンビア大学教授）

今から十年ほど前に三島さんから外国で「午後の曳航」を映画にしようという話があったことを聞いたのである。しかし、船乗りがアメリカ人で、他の人物を日本人にするという向うの条件を三島さんは断った。『"お蝶夫人"の繰り返しに興味がない』と主張した。ところが、今度出来た映画は三島さんの希望にぴったり合っていると思う。先ず、海の美しさが実に魅力的である。船乗りや少年たちの海への愛着を充分示唆している。そして異国趣味がないが、その代りに三島さんが狙った人間味をみごとに捕えている。

◆藤井浩明氏（映画プロデューサー）

日本の作家の作品が海外で映画になるのはこれが最初であり言語、習慣の異なる外国で、しかも一流スタッフにより映画化されたということは、映画史に燦然と輝く記念碑的出来事です。「午後の曳航」は私も映画にしたかった作品です。それだけに今回の映画化の契約の手伝いをしながら、自分が一等大切にしていた物を海の彼方へ持ち去られる口惜しさを痛感していました。でも、原作を完璧に理解した美しい映画が生まれたことを、今、心から喜んでいます。

◆ブルース・ウィリアムスン氏（プレイボーイ誌）

「午後の曳航」の持つ性の強烈さは秘すべくもなく、サラ・マイルズはこれまでをしのぐ演技で常に刺激を受け、傷つきやすく、欲望に病的になっているヒロインの役を演じきっている。期待に唇を湿らして男を車で待っている場面、品のいいティー・ルームで男がスカートの中に手を入れてきた時の、落ちつきを失うまいと懸命の場面は、特にセクシーである。「午後の曳航」は、間違いなく彼女を次のオスカー最有力候補にした。

◆ウィリアム・ウルフ氏（キュー・マガジン誌）

ルイス・ジョン・カルリーノは、脚本家としての名声はあったが、監督したことはなかった。この作品の後、彼にはさばききれないほどの仕事が殺到するだろう。彼はロマンチシズムと恐怖とが、抒情的に統合された物語を、完璧に精緻に映画化した。ドラマは、信じられないほど美しい撮影、卓抜したセット、そして効果的な雰囲気によって高揚されている。これはまさに見事な芸術だ。

写真13ｃ　午後の曳航　映画宣伝材料　1976年

ブルース・ウィリアムスン（プレイボーイ誌）
ウィリアム・ウルフ（キュー・マガジン誌）
の推薦文が掲載されている。

田中美代子は「三島文学の官能性と主題の映画化、という難題を、これはまた何と大膽に、見事になしとげたものだろう！それはまるで外国人によって盗みとられてしまったようだ。

完璧な登場人物、ことにサラ・マイルズの年増女の愛らしいエロティシズム。思春期の美少年の残酷な殺人事件。海と船と港町と、細部にわたるイメージのシンボリックな美しさ。……三島由紀夫が見たとしたら、おそらく激賞することだろう[16]」と記している。

田中が三島作品の映画化を好評するのは極めて稀なことである。

第十章　新潮文庫・豊饒の海

昭和52年、三島没後7年目に「豊饒の海」の文庫本が新潮社より刊行された。（写真14 a、b、c、d）解説者と刊行月は

春の雪　（解説者・佐伯彰一）　7月刊
奔馬　（解説者・村松剛）　8月刊
暁の寺　（解説者・森川達也）　10月刊
天人五衰　（解説者・田中美代子）　11月刊

であった。大取りは田中美代子である。

田中は、

「輪廻する主人公たちと、彼らの生命の火花によって織なされた夢見る人の生涯も、ここで一挙に掻き消される。人は結局他人の夢＝人生に関知しえないという最終的な認識の目覚め。……

作者は結末を次のように語っている。

『あの作品では絶対的一回的人生というものを、一人一人の主人公はおくっていくんですよね。それが最終的には唯識論哲学の大きな相対主義の中に溶かしこまれてしまって、いずれもニルヴァーナ（涅槃）の中に入るという小説なんです』（対談・『三島由紀夫　最後の言葉』）

そしてこれはまた、作家にとって、渾身の力をこめて築き上げた『神聖、美、伝統、詩』の大伽藍が、煙のように消滅する瞬間でもあるだろう。ここに唯識の主題が明確に打ち出されてくる。即ち、私たちが見、そして生きている世界は、私たちの認識の根と密接にかかわっており、さればこそ、それはまた個々人の意識の不確定とかかわっていることになる[17]」と記している。

「第一巻、松枝清顕にはじまり、二、三巻でそれぞれ飯沼勲、月光姫に転生した輝かしい主人公の系譜はついで生れ変った（らしい）人物安永透によって、一挙に破局に導かれる」

田中は「春の雪」の一節を引用して、

「『君はのちのちすべてを忘れる決心がついているんだね』

『ええ。どういう形でか、それはまだわかりませんけれど。私たちの歩いている道は、道ではなくて桟橋ですから、どこかでそれが終って、海がはじまるのは仕方がございませんわ』

こうして『海』は彼女の永遠の棲家となった。作者の説明によれば、『豊饒の海』という題名は、『月の海の一つのラテン名なるMare Foecunditatis の邦訳である』という。これはそもそも『月』の縁起によって語られる物語であった。太陽なる男性に対して、月は女性の神性をあらわす[17]」と記している。

ラストシーンは虚無の極北であり、救済されないとの考えがある中で、田中は、

「聡子が『本多の不如意と恐怖に充ちた認識の地獄の不死』を見破り、その『闇の世界の極みの破れ目』に一縷の月光を注ぎ入れる天上の不死を体現しているならば、この女神との出会いこそ、本多の救済にほかならなかった[17]」と記している。

第十一章　鑑賞日本現代文学㉓三島由紀夫

昭和55年11月、鑑賞日本現代文学㉓三島由紀夫（写真15）が刊行された。この本の特色は田中美代子が編集の責任者として統括したことである。田中は、

「三島由紀夫の人と作品
　本文および作品鑑賞
　　花ざかりの森
　　獅子
　　仮面の告白
　　詩を書く少年
　　金閣寺
　　憂国
　　春の雪
　　卒塔婆小町
　　六世中村歌右衛門序説
　　わが創作方法
　三島由紀夫研究案内
　　1　研究入門
　　2　書誌的研究
　　3　伝統的研究
　　4　作家論・作品論

写真14ａ　春の雪　1977年

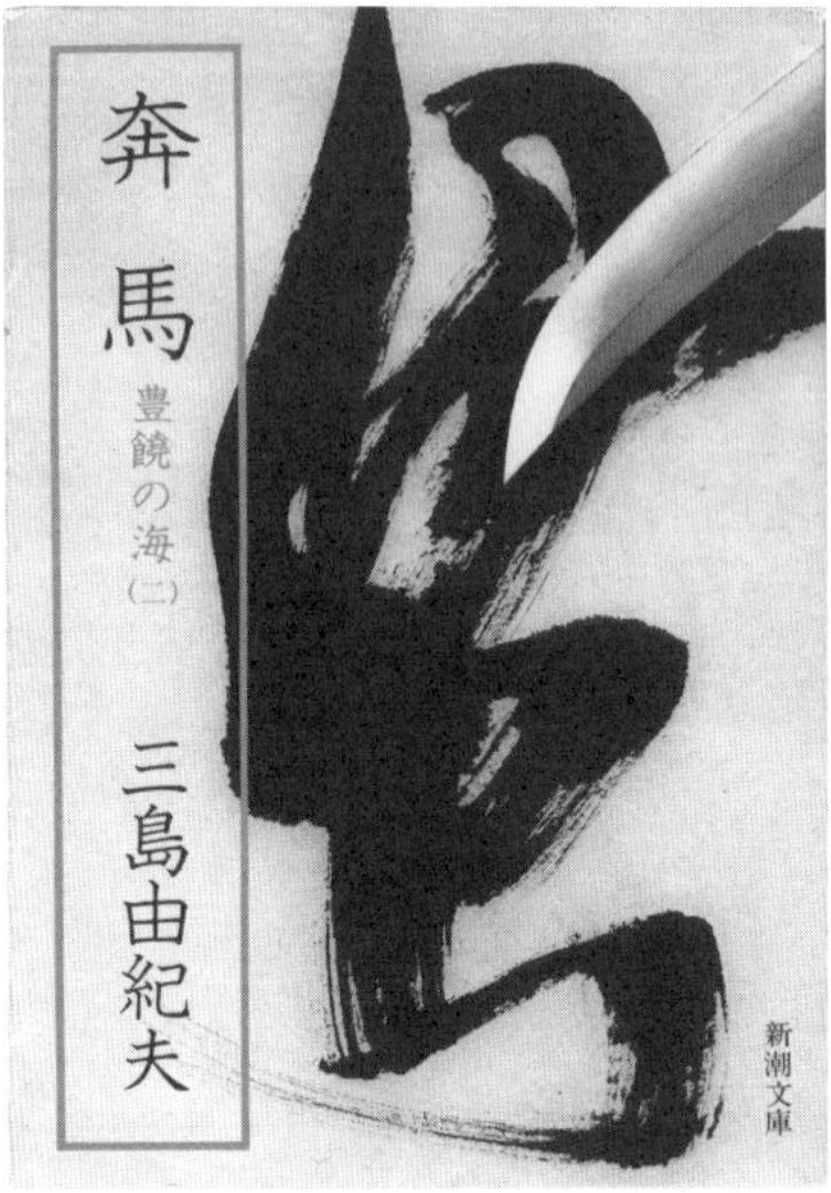

写真14ｂ　奔馬

写真14ｃ　暁の寺

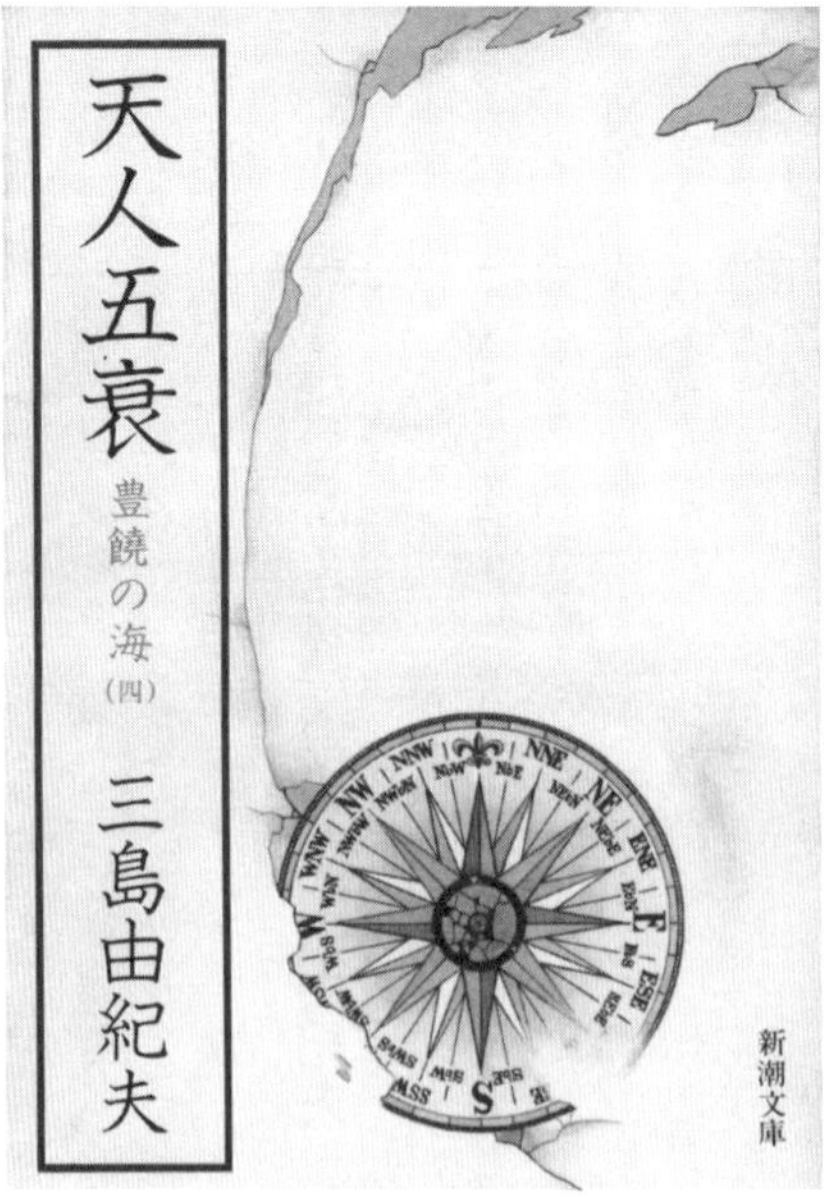

写真14ｄ　天人五衰

5　今後の方向」を執筆している。
また、「三島由紀夫の窓」として、

「聖セバスチャンの顔　花田清輝
ナルシシズムの運命　神西清
殉教の美学（抄）　磯田光一
夭折者の禁欲　橋川文三
狂気の宝石　松浦竹夫
三島由紀夫の世界（抄）　野口武彦
ジュルジュ・バタイユと三島由紀夫　清水徹
絶対を垣間見んとして……　澁澤龍彦
死の絵（抄）　高橋睦郎
よみがえる三島由紀夫　戸田義雄」

写真15　鑑賞日本現代文学㉓三島由紀夫

を掲載している。

田中は、「三島文学研究の第一歩は、それが一個の世界創造の意志に貫かれた明確な方法論上の産物であることを納得することであろう。個々の作品はそれぞれ固有の秩序があり、法則があり、論理があり、生理があるものでなければならず、そうした方針と意図によって精密に細心に計量され、構成され、創造されたものであった。ゆえに作品を肯定するにせよ否定するにせよ、この前提を踏まえた上でないと鑑賞も批評も本当には始まらないであろう[18]」と記している。

第十二章　決定版三島由紀夫全集

決定版三島由紀夫全集（全42巻・補巻２）は２０００年11月１日に第１回配本を開始し、２００６年4月に完結した。

内容見本（写真16）の「刊行の言葉」に、

「作家・三島由紀夫が亡くなって今年で三十年になります。

今、氏をめぐる状況を考えてみますと、その作品は日本国内のみならず、世界三十数カ国語に翻訳されて愛読されるなど、二十世紀文学の古典として不動の地位を獲得するに至りました。

また、このたび三島家から三島由紀夫文学館に移管された原稿類の中に、二千数百枚に及ぶ膨大な量の未発表原稿が含まれていることが判明し、さらに三島家からは十数冊にのぼる若き日の詩ノートが発見されました。いずれも三島文学の生成の過程を知る上で、きわめて貴重なものです。

一方、旧『三島由紀夫全集』（全35巻・補巻１）は、刊行後二十数年を経て現在絶版となっており、新版を望む読者の声も強く

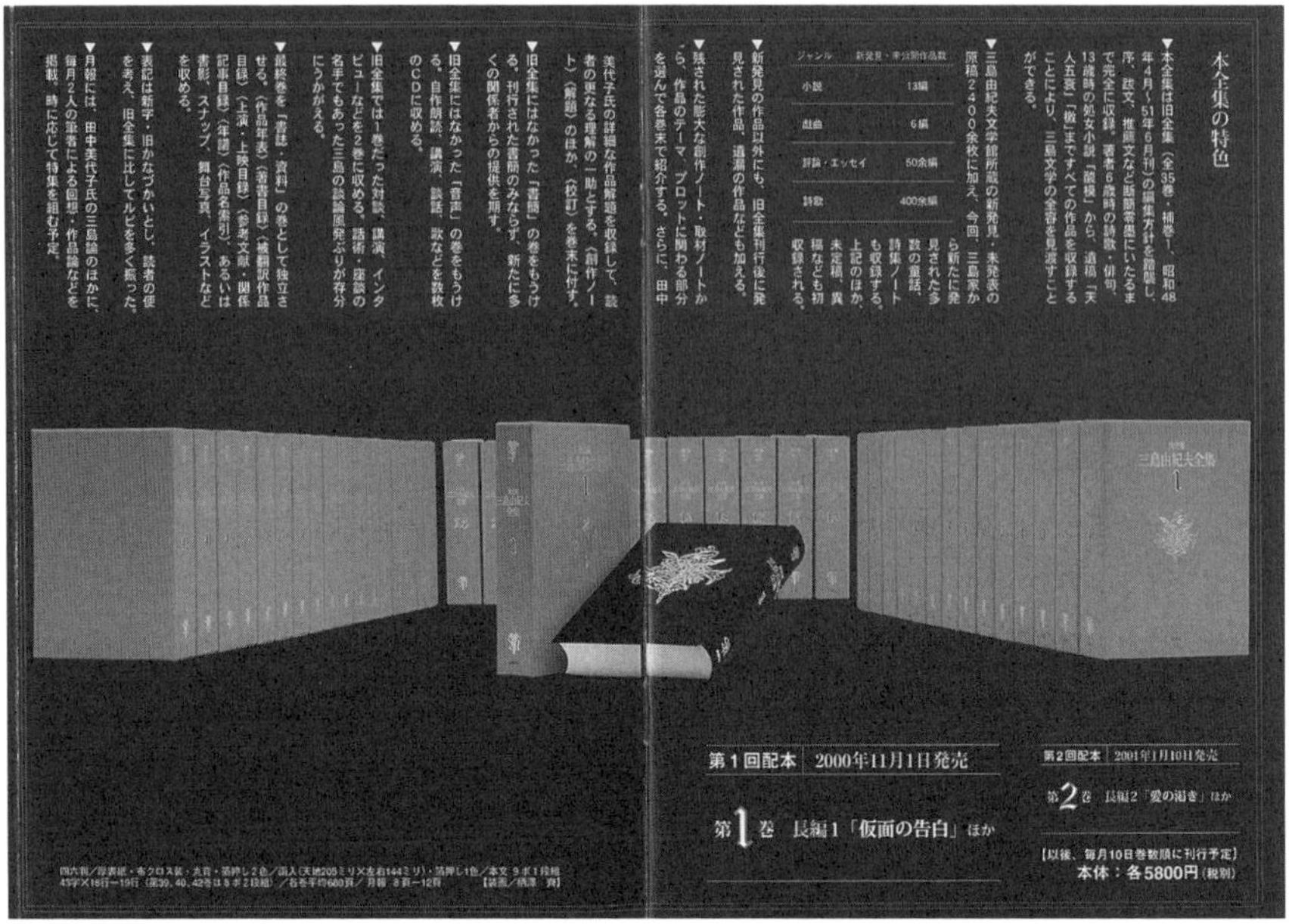

写真16　決定版三島由紀夫全集　内容見本　2000年

なってきております。

小社では、以上のような背景をふまえ、没後三十年をひとつの契機として、『決定版三島由紀夫全集』（全42巻）を上梓することに致しました。

『決定版』は、前述の未発表原稿のほぼすべてを収録するほか、新たに『書簡』や『音声』の巻を加え、年譜・目録・索引などの『書誌』の巻を独立させるなど、いっそうの充実を期します。

『決定版三島由紀夫全集』に対する皆様方のご支援を願ってやみません。

二〇〇〇年九月　　新潮社[19]」とある。

また、「本全集の特色」に

▼本全集は旧全集（全35巻・補巻1、昭和48年4月～51年6月刊）の編集方針を踏襲し、序、跋文、推薦文など断簡零墨にいたるまで完全に収録。著者6歳時の詩歌・俳句、13歳時の処女小説『酸模』から、遺稿『天人五衰』『檄』まですべての作品を収録することにより、三島文学の全容を見渡すことができる。

▼三島由紀夫文学館所蔵の新発見・未発表の原稿２４００余枚に加え、今回、三島家から新たに発見された多数の童話、詩集ノートも収録する。上記のほか、未定稿、異稿なども初収録される。

▼新発見の作品以外にも、旧全集刊行後に発見された作品、遺漏の作品なども加える。

▼残された膨大な創作ノート・取材ノートから、作品のテーマ、プロットに関わる部分を選んで各巻末で紹介する。
さらに、田中美代子氏の詳細な作品解題を収録して、読者の更なる理解の一助とする。〈創作ノート〉〈解題〉のほか、〈校訂〉

写真17　神の影法師　2006年

を巻末に付す。

▼旧全集にはなかった『書簡』の巻をもうける。刊行された書簡のみならず、新たに多くの関係者からの提供を期す。

▼旧全集にはなかった『音声』の巻をもうける。自作朗読、講演、談話、歌などを数枚のＣＤに収める。

▼旧全集では1巻だった対談、講演、インタビューなどを2巻に収める。話術・座談の名手でもあった三島の談論風発ぶりが存分にうかがえる。

▼最終巻を『書誌・資料』の巻として独立させる。〈作品年表〉〈著書目録〉〈被翻訳作品目録〉〈上演・上映目録〉〈参考文献・関係記事目録〉〈年譜〉〈作品名索引〉、あるいは書影、スナップ、舞台写真、イラストなどを収める。

▼表記は新字・旧かなづかいとし、読者の便を考え、旧全集に比してルビを多く振った。

▼月報には、田中美代子氏の三島論のほかに、毎月2人の筆者による回想・作品論などを掲載。時に応じて特集を組む予定」[19]とある。

決定版三島由紀夫全集の「本全集の特色」に、

「田中美代子氏の詳細な作品解題を収録」とあり、また、最終項に「月報には、田中美代子氏の三島論」とある。名前が記されているのは田中美代子のみであり、しかも2度も記されている。田中美代子は全巻に三島論を寄せた。この作品論は、一冊の本にまとめられ、２００６年10月に「神の影法師」（写真17）というタイトルで新潮社より刊行された。

第十三章　私の好きな三島作品

１９９０年に三島由紀夫文学館で「私の好きな三島作品」のアンケートが行われた。作家、評論家、写真家、画家、俳優などが、それぞれ3つの作品を挙げている。田中美代子が好きな3つの作品は「苧菟と瑪耶」「ジャン・ジュネ」「日本文学小史」であった。

２０１９年3月2日、「好きな作品は何ですか」とお聞きした。田中美代子はただ一つの作品を挙げた。それは「仲間」であった。「仲間」は昭和41年1月号の「文芸」に掲載された短編小説である。

１９９８年8月17日に鎌倉の堂本正樹邸で収録された対談の中で、田中はこの「仲間」のことを説明している。（写真18ａ、ｂ）

「『仲間』は晩年の短編中の白眉ですね」

「『仲間』を読書新聞で書評を書いたことがあるんです。訪ねてくる男がいるでしょ。あの男をひとりの読者のように解説したら、気に入られたみたいでした。というのも、あの小説が発表されたのが、わたしがはじめて三島由紀夫論を書いて、その発表誌を三島氏に送った二、三ヶ月あとだったので、とくに印象深くおぼえているんです。作品のなかの父親と子供と訪問者の関係が、ちょうど作家と作品と読者の関係みたいに思えたというわけ[20]」

「作品の梗概・背景・思想」を説明するだけの評論家や、作品をほめるだけの評論家は多かったが、20年以上に及ぶ作家生活で、三島由紀夫は自分の本当の理解者に出会う機会がなかった。

　三島は田中美代子の「三島由紀夫小論『獣の戯れ』をめぐって」を読んで、初めて自分の作品の本当の理解者を発見した。三島は、田中の評論を読み終わると幸福感に包まれて返事を書いた。

写真18a　カプリチオ　1999年

三島は、手紙の返事はすぐに書くのが習慣であった。

　しかし、田中美代子に返信を書くことではこの喜びを伝えたことにはならないと考えた三島は、一般的な手紙ではなくて短篇小説に仕立てた返信を書いたのであった。それが「仲間」であった。三島は、出会うことが極めて困難な仲間を発見した喜びを一編の小説に仕立てたのである。それは、喜びをただ一人の本当の理解者に伝えるための試みであり、「仲間」はこの意図の正確な実現である。「仲間」は田中美代子のためだけに書かれた小説なのである。

　田中が指摘した「作家と作品と読者の関係」とは「三島由紀夫と三島作品と田中美代子」である。田中は僭越ながら、と謙遜していたが、「仲間」は三島が田中の評論を読んで稀有な仲間を見つけたことの喜びを作品に表したものと確信した。しかし、そのことを確信できたのは田中美代子一人であったのかもしれない。三島はそれで良かったのであろう。三島は田中美代子にだけ伝わることを確信してこの小説を書いたのである。このことを証明するものは、決定版三島由紀夫全集をはじめとする三島由紀夫に捧げられた膨大な数の田中美代子の三島由紀夫論であり、そして何よりも、田中美代子宛の三島由紀夫書簡[5]である。

　田中は、

「神という沈黙を言語化するのが、小説家の最大の野望だ、と三島由紀夫は言っていますね。とすると、あれを、神と子と精霊の物語だということもできるかもしれない。でも、あの小説の凄さは、決してそんな風に図式化されるものではなくて、なまなましい息づかいのきこえる妖怪の話になっていることでしょう。それも、幻想が自然に溢れだして、作品全体に何ともいえない幸福

〔特集〕

堂本正樹氏・田中美代子氏が語る

三島由紀夫とアプレゲールの悪童たち

（一九九八年八月十七日／鎌倉　堂本邸にて収録）

●戦後最大のスターだった三島由紀夫

――本日は堂本正樹さんの鎌倉のご自宅に田中美代子さんと、三島由紀夫の思い出についてお伺いにまいりました。よろしくお願いします。

田中　堂本さんは三島由紀夫さんの八歳年下で、亡くなられるまでの二十年間ぐらいを非常に親しくお付き合いされたんですよね。

堂本　戦後の混乱期も治まりはじめた頃からだね。ぼくは歌舞伎が好きで見に行くんだ。歌舞伎がはねて銀座をぶらぶらしていると同じ時間帯に三島由紀夫もいる。彼と知り合ったのは「ブランスウィック」という、夜になるとゲイ・バーになる喫茶店で、野坂昭如が一時レジ、いまの美輪明宏、当時の丸山明宏がボーイで働いていたところだよ。

田中　堂本さんは能の専門家で、三島由紀夫に劇作のアドバイスや演出のお手伝いをしていますが、仕事を離れた愉快な遊び仲間という感じがしますね。悪童同士というか、最後まで子供の心のままで付き合ったのではないですか。

堂本　そう思うね。偶然に集まった悪童たちも、だんだん撰別されていなくなってしまった。ぼくの場合は一方で「能」をやっていたし、演出もしたし、芝居も書いた、というところからの、古い時代の悪童仲間なんだけど、後の時代まで付き合ってゆけた。それは三島由紀夫にしても救いだと思う。進駐軍が肩で風を切ってた時代でしょう。三島やぼくらは、その進駐軍とわたりをつけて、そういう意味では貧困に苦しんでいた人たちには悪いけれど、けっこう、面白オカしく遊んだものだよ。その時代は小説家であっても、そんなに偉大

90

田中美代子氏・堂本正樹氏（堂本邸にて）

なことじゃなかった。小説家とは昔ながらに文士と呼ばれて、ヤクザな商売に思われていてね。小説家には惨めったらしいという印象があったんだよ。

田中　わたしにとっては、戦後の第一の作家として遠くから仰ぎ見るような人でしたよ。それこそ、文学をやろうとしても、何を目標にしていいかわからない時代でしょう。アカデミズムらしきものもないし、そもそも、それが壊れたところから始まった。混沌とした戦後の暗い時代のなかで、彼だけが輝いてみえました。日本の伝統がしっかりと身体に入っているし、それこそ広く深い東西文学の十字路のような人でした。歌舞伎の台本を書くかと思えば、王朝文学や謡曲を論ずる。ギリシア文明への憧れを語るかと思えば、ジャン・ジュネにオマージュを捧げる、というわけですからね。それとわたしはどういうものか、芥川龍之介とか太宰治みたいな自殺型のタイプの人に強烈なシンパシーを感じていたんですね。どうしたら、こういう自殺型の作家を救うことができるか、ということが、わたしの高校時代からの大きなテーマでしてね。その時、三島由紀夫が登場して、わたしの御本尊だった芥川龍之介をこともなげに否定していて、文学者は自殺するものじゃない、文学とは薬みたいなもの、病気を治す医術であるべきだ、と言ってました。それが大きな支えになって、三島由紀夫にのめり込んでゆけたんです。ところが作品そのものは典型的な自殺型ですね。にもかかわらず、この人は生

91

写真18ｂ　カプリチオ　1999年

感が漂っているような気がする[20]」とも語っている。三島は、死ぬ前に本当の理解者（仲間）に出会うことができた。「作品全体に何ともいえない幸福感が漂っている」のは、三島自身の幸福感に他ならない。

　田中は本多繁邦のことを「目の化物[9]」と形容している。本多は三島そのものであり、その同類である田中自身も「目の化物」なのであろう。三島由紀夫と田中美代子は、「目の化物」であり認識の「妖怪」である。

　田中美代子は、今日でもその存在自体が他の評論家の追随を許さない。その評論は隔絶した境地にあり、三島由紀夫研究では右に出る者がいない孤高の存在である。

　地上の他者から離れ、三島文学の鳥瞰図を提示したり、肉眼によるスケッチをしていたかと思えば顕微鏡によるスケッチが現れ、二次元の世界にいたかと思えば三次元の空間を論じたりする。大空を飛翔する三島文学という美しい蝶を採取しようと、俗人が躍起になって捕虫網を振り回している時に、いち早く三島文学という蝶の幼虫を見つけ出して、幼虫の生活を論じてみせた。

　三島文学という美しい花に皆がうっとりと見とれていると、この花の種や若葉や害虫のことまでも論じて見せた。講談社の群像新人賞の選考委員が全くわからなかったように、蝶の幼虫や花の種のことなど何も知らない人々には、何のことか理解できなかったであろう。

　三島由紀夫が咲かせた花は、言葉による人工の花である。その幻の花の種を田中美代子だけはしっかりと捉えていたのである。人工の花は言わば造花であるから種などない、と考える人にはいくら読んでも三島由紀夫の内面を理解することはできないであろ

うことを、田中美代子の評論は予言している。

（三島由紀夫研究家）

註1 田中美代子：解説、三島由紀夫著『獣の戯れ』、新潮社、１９６６

2 福田恆存：芥川龍之介Ⅱ、「芥川龍之介作品集」全四巻解説、創元社、１９５０

3 田中美代子：三島由紀夫小論『獣の戯れ』をめぐって、文学者、日本製版、１９６５

4 田中美代子：解説、三島由紀夫著『午後の曳航』、新潮社、１９６８

5 三島由紀夫：田中美代子宛書簡、決定版三島由紀夫全集第38巻、新潮社、２００４

6 田中美代子：ロマン主義者は悪党か、文学者、日本製版、１９６９

7 田中美代子：あとがき、ロマン主義者は悪党か、新潮社、１９７１

8 田坂昂：あとがき、増補三島由紀夫論、風濤社、１９７７

9 田中美代子：覗く者と覗かれる者の密通劇、「波」昭和45年7・8月合併号、新潮社、１９７０

10 出版案内：三島由紀夫短篇全集全六巻、講談社、１９７０

11 田中美代子：三島文学の理想像の完結・追記、三島由紀夫短篇全集第六巻解説、講談社、１９７０

12 田中美代子：三島由紀夫の死、ロマン主義者は悪党か、新潮社、１９７１

13 三島由紀夫：天人五衰、新潮社、１９７１

14 三島由紀夫全集内容見本、新潮社、１９７３

15 田中美代子：逆説的営為、三島由紀夫全集内容見本、新潮社、１９７３

16 田中美代子：推薦文、映画「午後の曳航」宣伝材料、日本ヘラルド映画、１９７６

17 田中美代子：解説、三島由紀夫著『天人五衰』、新潮社、１９７７

18 田中美代子：三島由紀夫研究案内 5 今後の方向、鑑賞日本現代文学㉓三島由紀夫、角川書店、１９８０

19 決定版三島由紀夫全集内容見本、新潮社、２０００

20 田中美代子：堂本正樹氏・田中美代子氏が語る三島由紀夫とアプレゲールの悪童たち：カプリチオ、二都文学の会、１９９９

資料紹介

「青山京子の良さ」

斎藤理生

このたび『決定版三島由紀夫全集』に収録されなかった三島の文章が見つかったので、紹介する。「青山京子の良さ」は、雑誌「東宝」一九五六年一月号の一九頁に掲載された、原稿用紙一枚分の、短い文章である。以下に全文を掲げる。

青山京子の良さ

三島由紀夫

青山京子さんは非常に気持のいい人です。私の小説「潮騒」が東宝で映画になつたとき、主演をつとめてくれたので、ロケにもついて行き、三重県の鳥羽からまた小蒸気船で一時間半もかゝる小さな島で、何日も一緒に暮して来ました。彼女は大へん座持ちの巧い人で、つきあつてみると、いかにも庶民的な飾り気のない娘さんです。映画スタアとしては、まだまだ乳臭いとこがあるが、受ける印象の大へん明るいことが、今までの生活の健康さを思わせます。

今後の彼女についても、僕はやはり今のままの〝野の花〟でいてもらいたい。妙に座持ちが悪くなつたり、女優らしく取りすますことを覚えないようにと望みます。とにかく「私、サルトルを読んでいるの」などとおくびにも言い出しそうもないところが彼女の身上でしょう。彼女とてサルトルやジイド位は読んでいるでしょうが……このような気持のいい女優さんが第一線で活躍してくれるので、日本映画も結構楽しめます。

文中にもあるように、青山京子は、谷口千吉監督の映画『潮騒』（東宝、一九五四）に、ヒロイン宮田初江役として出演した女優である。二年前に『思春期』（東宝、一九五二）でデビューして間もなかった青山は、このころ東宝が強く推していたスター候補の一人であった。それは当時の雑誌「東宝」からもうかがえる。この号で後述のコーナーや飯田心美「東宝新人寸描」に取りあげられているだけでなく、二月号では目次上のグラビアに起用されると共に、大黒東洋士「青山京子さん　20代の入口に立つ乙女」という随想が掲載され、三月号では表紙を飾り、五月号では三月にローマで開催された日本映画祭に出席した様子のスナップと「水色の美しいローマ」という青山自身の手による随筆に加え、『潮騒』でも共演した久保明との「青春スタア対談　恐くなった映画」が載せられている。たびたび誌面を飾っていることが、当時の人気と、東宝の期待の高さを示しているのである。

AからZまで 青山京子の巻

新春映画「若い樹」で活躍する素朴で初々しい魅力のスタア青山京子さんの凡て

A 青山京子というのは芸名本名は中西みどり。芸名の由来は、入社当時の雨宮東宝撮影所長と山本嘉次郎監督の合作。雨宮所長は好きな漢詩の「白雲去来、青山不動」のなかから青山の姓を、山本監督は第一回出演作品「思春期」の役名京子がいいと提案、こゝに青山京子が生れ出たわけ。

B バース・デイ。つまり誕生日。といつても青山京子の誕生ではなく、中西みどりのこの世に出た日。それは昭和十年十一月二十三日。ところは東京の郊外、その頃まだ野趣にみちあふれた奥沢の一隅だつた。中西家はそこで園芸農園を経営して、都内へ手広く卸す草花の栽培をしていた。兄一人、姉二人の末つ子で、寒い冬の日などは温い温室の中へ入れられ、カーネエションやヒヤシンス、チューリップなどの温室栽培の草花と一緒に育てられたという。これが本当の温室育ち。

C コレクション。つまり蒐集癖について。テーン・エージャーにはつきもののお人形のコレクション癖もないが、といつて書画骨董類を集める趣味もない。犬好きは有名だが、いちどは八匹も生きた犬を飼つて、これなどちよつとした蒐集癖というところだつたが現在は二匹に減じ、その代り玩具の犬が黒白とりまぜ七匹飾棚に坐り込んでいる。持物で集める癖のあるのが靴。これはちよつとマニヤ的で、一カ月二、三足は買つてしまうという。もつともこれはお洒落のほうへはいるべきかも知れない。

D 読書。忙しい毎日にしては非常な読書家。面白い本があると早く家へ帰つて読むのがたのしみだという位。寝る前に何か読まないと寝つきも悪い。最近の愛読書は「空飛ぶ円盤実験記」という不思議なる書物。

E 映画入り顛末記。お母さんが大変芸事ずき。誰か子供たちの一人を芸術家に仕立てあげたい希望があつたが、バレエや声楽を習つていたお姉さん二人もアッサリと結婚にゴール・イン。そんな矢先きラジオ・ドラマの作家である叔父さんからすゝめられ「思春期」の主演青春スタアに応募、見事にパスしたのが映画界への第一歩だつた。昭和二十七年満十六歳と何ヵ月かの秋の出来事。映画にはいつてからまだ満三年にしかならないのにもう二十三本ほどの映画に出ている。

F ファン・レター。最近では多い日には一日に百通も来ることがある。勿論全部に眼を通すが、全部に返事を書くという訳にはゆかない。必要なのにお

青山京子の良さ

三島由紀夫

青山京子さんは非常に気持のいい人です。私の小説「潮騒」が東宝で映画になつたとき、主演をつとめてくれたので、ロケにもついて行き、三重県の鳥羽からまた小蒸汽船で一時間半もかゝる小さな島で、何日も一緒に暮して来ました。彼女は大へん座持ちの巧い人で、つきあつてみると、いかにも庶民的な飾り気のない娘さんです。映画スタアとしては、まだまだ乳臭いとこがあるが、受ける印象の大へん明るいことが、今までの生活の健康さを思わせます。

今後の彼女についても、僕はやはり今のままの〝野の花〟でいてもらいたい。妙に座持ちが悪くなつたり、女優らしく取りすますことを覚えないようにと望みます。とにかく「私、サルトルを読んでいるの」などとおくびにも言い出しそうもないところが彼女の身上でしよう。彼女とてサルトルやジイド位は読んでいるでしようが……このような気持のいい女優さんが第一線で活躍してくれるので、日本映画も結構楽しめます。

19

「青山京子の良さ」が掲載された「東宝」一九五六年一月号の誌面

三島の文章は「AからZまで　青山京子の巻」というコーナーに組みこむように掲載されている。これまでこの文章が発掘されてこなかったのは、短文であり、目次にも三島の名が記されていなかったからであろう。

「AからZまで」は、Aで青山京子という芸名、Bでバース・デイ、Cでコレクション、Dで読書、といった具合に、「新春映画「若い樹」で活躍する素朴で初々しい魅力のスタア青山京子さんの凡て」をアルファベットの文字にかけて多角的に語った文章である。「東宝」ではこの号の後に、岡田茉莉子、八千草薫、池辺良、雪村いづみ、司葉子、久保明といった面々を同じコーナーで取りあげている。

三島はこの文章で、「非常に気持のいい人」「庶民的な飾り気のない娘さん」であるという、当時青山が抱かれていたイメージにふさわしい印象を記している。同時に、「座持ちの巧い人」であるという、実際に接したからこそ感じられる一面に触れることで、ファンおよび「東宝」の読者の期待に応えるものになっている。「今のままの〝野の花〟でいてもらいたい」という言葉も、この年に二十歳を迎えるゆえに「あまりオトナになりきると彼女のよさはかえって消えるのではないか」（前掲飯田心美）と懸念されていた当時の青山への大方の視線と合致するものであったろう。

なお、先に触れたDの読書の段で「彼女の最近の愛読書」として取りあげられているのが「空飛ぶ円盤実　験《ママ》記」である。これはD・レスリー、G・アダムスキ『空飛ぶ円盤実見記』（高文社、一九五四）であろう。ジッドでもサルトルでもなく、UFOに関心を示す青山の趣味は、この年に日本空飛ぶ円盤研究会に加わり、後に『美しい星』（「新潮」一九六二・一〜一一）を書く作家に好ましく感じられたのではないか。

文中に書かれてあるロケについては、三島は「『潮騒』ロケ随行記」（「婦人公論」一九五四・一二）にくわしく書いている。また、後に「『潮騒』の思い出」（「東宝映画」一九六一・一〇）で、「この映画の成功の一つは、配役の成功」だとして、久保明よりも「青山嬢のほうが、一そう適役であった。このごろ彼女の健闘をきかないのは淋しいことである」と述べていた。若尾文子のようなお気に入りではなかったにせよ、三島にとって『潮騒』のヒロインを務めた女優は特別な存在だったようである。

最後に、『潮騒』に関して、やはり『決定版三島由紀夫全集』に未収録かつ「対談目録」にも言及されていない資料として、谷口千吉との短い対談（「産業経済新聞」一九五四年一〇月二五日第五面「谷口千吉　対談　三島由紀夫　自作の「潮騒」を見て」）も発掘されたことを記しておく。そこで谷口の「青山京子はどうでした」という問いに、三島は「もちろんピッタリのハマリ役。彼女うまいね」と答えている。

（大阪大学大学院准教授）

※本稿校正中、1月12日　青山京子（84歳）逝去。

紹介

いまの神島

浅野正美

神島港

八代神社鳥居越しに望む伊勢海

「潮騒」が書かれたのは今から66年前の昭和29年。「歌島は人口千四百、周囲一里に充たない小島である。」と書き出されているが、島の人口はこの頃をピークに減り続け、直近の国勢調査によると人口は三四八人（一六七世帯）である。こうした過疎化のために、八代神社元日の祭礼である「ゲーター祭」が開催できない事態に追い込まれてしまった。

「潮騒」は一般にはライトノベルに近い「軽い」小説と思われている。熱心な三島ファンでも、好きな三島作品に「潮騒」をあげることには多少のためらいと気恥ずかしさを抱くのではなかろうか。そんな中、M・ユルスナールは「一般に作家がその生涯に一度しか書けないような、あの幸福な書物の一つ」と評した。「ロミオとジュリエット」、「ヘルマンとドロテーア」、「伊豆の踊子」に連なる幸福な書物としての「潮騒」。ここには生々しい性描写も、肥大化した自我に苦しむ現代人の苦悩もない。もうこのような小説が書かれることも二度とないだろう。海は三島が終生あこがれてきた存在であり、「花ざかりの森」から「豊饒の海」へと連なる作品の中で幾度も書いてきた。そうした傑作の中に置いても、「潮騒」の海は殊の外美しい。そんな伊勢海の波に洗われる作品の舞台を歩いてみたいと思い、二年続けてこの島を訪れた。二回目は梅雨空に雨が舞う空模様だったため島内散策はやめて、島にただ一つ残る民宿「山海荘」の女将さんとその妹さんを交えてのんびりお喋りをして過ごした。

最初に案内してくれたのは、三島が神島滞在中宿泊していた当時の漁業組合長寺田宗一氏のお宅である。高齢となった遺族は島外に暮らし今は空き家となっている。部屋も建物も

元漁業組合長　寺田宗一氏邸

監的哨跡

当時のままで、外壁だけが改修されたそうだ。乞われればいつでも案内するということだが、最近はそういった人もほとんどいないという。三島が寝起きしていたのは二階の居間で、欄間の彫刻もみごとな日本間である。島の分限者としての往時の暮らしぶりを偲ばせる邸宅だ。階段は昔の日本家屋らしく45度の急角度で、「その日の夕焼は壮麗をきはめ、黛氏と私は組合長の二階の窓から、伊勢海の空いちめんの夕焼を、最後の一点の朱色が燃えつきるまで眺め飽かした。」（「潮騒」ロケ随行記・昭和29年11月・婦人公論）と書いた窓は、階段を上ったすぐの左手にあった。「三島さんはこの敷居に座って夕陽を見つめていたんですよ」と教えられ、その時の三島の姿を想像してみた。部屋には三島が構想を練り、取材ノートをつけた赤い卓袱台が置かれ、潮騒を記念したいくつかの品物や写真が飾られていた。新治のモデルとして島の人たちに語り継がれている寺田家の長男・和弥さんの写真もあった。小説中で新治が荒海に飛び込み繋船したシーンは、和弥さんが実際に体験したことだという。初江のモデルは、寺田家に嫁いできたばかりの和弥さんの妻、寺田こまつさんだろうといわれている。こまつさんが初江のように浜で漁船を引き上げている写真もあった。働き者で可愛らしく、腕のいい海女さんだったそうだ。

　こまつさんはこの家を鳥羽市に無償譲渡したいと申し出ているが、市として明確な返事がないまま時間だけが過ぎているとのことである。作品の舞台ではないため文化的な価値を認められない、観光地として公開するためには耐震補強や修繕に費用がかかるが、その予算をつけるのが困難であるといった理由らしい。それに対して監的哨には離島振興法の予算が適用され、平成25年に補修とあわせて耐震補強工事が施され一般に公開された。

　女将さんたちは今年の三島没後五十周年に向けて、この家の横を通る島のメインストリートを「潮騒通り」と命名し、希望者には寺田邸での宿泊体験も企画したいと、夢を語っていた。かつては潮騒景気でにぎわったであろう神島だが、最近の観光客は潮騒も三島も知らない人が多いという。いくつかあった民宿が廃業する中で、山海荘が存続し続けられた理由には、そんなアイデアマンの女将さんの経営者としての資質が与っているのではないだろうか。

寺田邸からまっすぐ坂を登り切ったところに今は保育園があるが、ここにはかつて、新治の弟の宏が通っていた小学校があった。初江が深夜の水汲み当番で、川本安夫に襲われたのがこの辺りだ。今は水道が完備して使われなくなった水汲み場の跡が残っている。

無医村だった神島では、島内で人が亡くなると、遺体を隣接する答志島か伊良湖まで運んで医師の検死を受ける必要があった。新治の父親は戦時中、船で遺体を運搬中に米軍の機銃掃射で亡くなるが、これは女将さんの叔父が実際に体験したことだと聞いた。叔父は漁師ではなくて機械全般に詳しいエンジニアだったそうだが、故障の多かった船舶エンジンの保守要員として同乗して亡くなったそうだ。

初江と新治の噂話をしていた若者が、初江の父親である宮田照吉に襟首をつかまれて湯船に沈められた銭湯は、「喫茶スエヒロ」に変わっていた。銭湯の名が「末広の湯」だった。

新治は八代神社の拝殿で、「神様、どうか海が平穏で、漁獲はゆたかに、村はますます栄えてゆきますやうに！」と祈ったが、あれから65年が過ぎて漁獲は減り、漁業だけで生計を立てることも困難になっているという。数少なくなった海女さんも高齢化し、さざえもあわびもかつてのようには採れなくなった。そのために浜値は高くなったが。

神島に平地は少なく、大概の人家は急な斜面に軒を寄せ合うようにして建っている。そのため島の中学生が自主的にお年寄りの家まで灯油を運ぶ活動を何年も続けているそうだ。こどもよりお年寄りの方が多いため、日に何往復もすることがあるという。お年寄りは空になったポリタンクを給油所まで降ろし灯油を入れて名前を書いておく。すると学校を終えた中学生がそれぞれ分担して家まで届けてくれるのだそうだ。

三島はエッセイでこう言っている。

「私とて、島の人たちの生活に利便がもたらされ、物質文明の恩沢が婦女子の労働を幾分でも軽減することをのぞみます。しかしもう一方の、感傷的な私は、島があの素朴な美しさを失ふことを、惜しまずにはゐられません。」（神島の思ひ出　昭和30年4月　初出「しま」）

神島は今も素朴な美しさを保っていた。「映画館もパチンコ屋も、呑屋も、喫茶店も、すべて「よごれた」ものは何もありません」と川端康成に手紙（昭和28年3月10日付）で書いたそのままに。

（三島由紀夫研究会幹事）

シンポジウム報告

パリの三島シンポジウム

トマ・ガルサン

「50年後、三島をご存知ですか」（Fifty Years Later: Another Mishima?）という国際シンポジウムが２０１９年の11月21～23日、パリ大学（元パリ・ディドロ大学）で行われました。このシンポジウムの目的は、三島由紀夫についての新しい研究やアプローチを紹介することでした。三島作品の多様性は、まだ海外では未知であり、日本においても三島のイメージは今なお三島自身が作った自画像と結びつきすぎていると思われます。三島没後50年を迎え、三島を読み直すことが必要だという前提の下、今回のシンポジウムが催されました。これまでヨーロッパで翻訳されていない三島文学、そして未だに紹介されていない三島作品は、我々三島読者や研究者に何を語るのでしょうか。

それを模索するため「未知の三島作品」、「既存の翻訳と新訳」、「三島作品の新しい解釈」という三つの研究テーマが、主催者から提案されました。発表者たちは特に最近の三島像の変化、三島文学のユーモアやブラックユーモア、三島作品におけるパロディーやパロディー化された三島像といったテーマについて、豊富な議論がなされました。それほど研究されていない、三島の初期作品・戯曲・文学論・大衆小説についての発表も多くありました。

世界中の研究者を集めたこのシンポジウムは、トマ・ガルサン（パリ大学）、ジェラール・シアリ（モンペリエ大学）、竹本俊雄（リール大学）が主催しました。「三島問題」（The Mishima Problem）という一日目の基調講演は、カリフォルニア大学の元教授で、三島の知己でもあったジョン・ネイスン氏が演説しました。ジョン・ネイスン氏は45年前に自身が執筆した評伝を解体しつつ、評論家たちが、長く三島の自決を通して三島を研究してきたという「問題」を興味深く分析しました。「三島とその多くの偽装」（Mishima and his many guises）という二日目の基調講演は、ベルリン自由大学の元教授であるイルメラ＝日地谷・キルシュネライト氏が発表しました。日地

会場風景

谷・キルシュネライト氏は、最近の出版された小説に基づきつつ、現在の新しいグローバル化された文化コンテキストにおいて、三島像がどれほど変わってきたのかということを、面白く説明しました。三日目には、二週間前パリ大学で講演された作家、平野啓一郎氏の講演フィルムが上映されました。「「大儀」なき生と個人――三島由紀夫の戦中・戦後」という講演において、平野氏は、三島のニヒリズムと不可能な政治理想を素晴らしく脱構造しました。

ヨーロッパの一般の読者は、残念ながら、まだ三島作品の豊かさや多様性を十分に知っているとは言えません。この国際シンポジウムは、その豊さと多様性を広める礎になったのではないかと期待できます。とにかく、三島の現在性と三島研究の活力や熱気が明らかになったイベントになりました。発表者名、プログラムなどは、シンポジウムのサイトに載っています（https://mishimaparis.sciencesconf.org/）。発表のアブストラクトは近いうちにサイトに掲載される予定です。

このシンポジウムは国際交流金、小西国際交流財団などの組織の援助でオーガナイズされました。

（パリ大学准教授）

印象記

三島由紀夫文学館の20周年記念フォーラムに参加して

本阿弥 清（美術評論家連盟会員 現代美術研究）

私は、二〇一九年一一月三〇日、清水港や三保松原のある街として知られている清水（静岡市）から三島由紀夫文学館がある山中湖村（山梨県）に出かけた。

長い間、雨や曇りの日が続き天候に恵まれなかったが、この日は、朝から快晴で雲一つない「富士山」日和となった。

私が山中湖に出かけた理由は、「三島由紀夫文学館開館20周年記念フォーラム」に参加するためだった。

本来は一〇月一三日に開催が予定されていたが、台風（19号）で急きょ延期になったことで、晩秋のこの日になったのだ。

数十年に一度の巨大な「台風」から、雲ひとつない「快晴」への極端な天候の変化は、三島由紀夫のイキザマにも似ているように思えてならなかった。

車で出かけた私は、東名高速道路御殿場ＩＣを降りて国道138号を北上し、篭坂峠を越えると正面に見えてきたのが山中湖で、湖の外周道路となるT字交差点を左折するとすぐに村営の山中湖文学の森公園にたどり着いた。

文学の森公園には、三島由紀夫文学館のほかに徳富蘇峰館などが点在している。

徳富蘇峰（とくとみ そほう）は、徳富蘆花（小説家）の兄としても知られているが、明治・大正・昭和を生き抜いた思想家であり、日本のジャーナリストとして「國民新聞」を主宰し、静岡新聞の創設にも参加した人物だ。

静岡でも知る人が少なくなったが、蘇峰は日本平（静岡市清水区）[1]にある富士山の良好な眺望地点四つ（吟望台・鍾秀台・超然台・望嶽台）の名付け親でもあり、今も石碑が残されている。

特に富士山と三保松原の眺望が美しい「吟望台」付近には、富士山の世界文化遺産登録に尽力した梅原猛（哲学者）と中曽根康弘（元首相）の富士山世界遺産を顕彰する二つの記念碑が五年前に設置された。

文学の森公園では、蘇峰が山中湖畔にあった別荘（双宜荘）で執筆活動をした縁などから一九九八年に徳富蘇峰館が、また、一九九九年には三島家から一括譲渡された特別資料を含む収蔵品を展示する三島由紀夫文学館がそれぞれ建設されオープンした。

そして、二〇一九年には、三島由紀夫関連フォーラムが開館20周年を記念して開催されたのだ。

ちなみに、三島由紀夫研究の第一人者の井上隆史（白百合女子大教授）は、三島由紀夫文学館研究員を兼ねていることもあり、今回の記念フォーラムの講師人選には特に中心的な役割を担った仕掛人の一人だった。

記念フォーラムでは、晩年の三島由紀夫と親交があった高橋睦郎（詩人）の特別講演とともに、〈大駱駝艦〉[2]の田村一行（舞踏家）、小田直哉（舞踏家）ら三名による舞踏パフォーマンス（ハグクミ申ス者―三島由紀夫に捧ぐ）など魅力いっぱいの三時間を、参加した五〇人ほどの三島ファンと私は共有することができた。

ハグクミ申ス者—三島由紀夫に捧ぐ

特に、高橋さんの話は、「三島自身は、老いることを嫌い死に向かって生きていたこと」、「表現とは女性のものだと思う。表現のためには疑似女性になることが男性には必要だったこと」、「小説『豊饒の海』は、リアリズムでありながら夢想の世界を表現したもので、月光姫（ジン・ジャン）は女性的な三島自身、安永透は欺瞞的な三島自身だったこと」など、思慮深い洞察力と明快な捉え方で三島由紀夫の内面を掘り下げたもので、こんなにも密度の濃い講演を聞いたのは私にとっても久しぶりのことだった。

私と三島由紀夫との縁や〈大駱駝艦〉のパフォーマンス（舞踏）との出会いについて、簡単にふれておこうと思う。

三島由紀夫が、自衛隊市ヶ谷駐屯地（東京）の総監室で益田総監を人質に立てこもり、総監室前のバルコニーでの演説を終えて、総監室に戻って割腹自決をはかったのは、一九七〇年一一月二五日正午過ぎだったことはよく知られていることだ。

三保松原にオープンした三保松原文化創造センター
（撮影：本阿弥 清）

会場からの質問に答える高橋睦郎氏

三島事件が起きたのは、私が高校二年の時の出来事で、当時の事件を告げた朝日新聞と読売新聞は、半世紀たった今でも私の手元に残されている。

当時、相当な衝撃を受けた事件だったこともあり、私は、実家で購読していた二紙の朝刊を親に頼んで譲ってもらったのだった。

また、長い間、私がいつかは手に入れたいと思っていたのが、三島由紀夫が口にバラをくわえた細江英公（写真家）の白黒写真（写真『薔薇刑』のうちの一点）の《薔薇刑＃32》だった。

そして、細江英公さんが制作したゼラチンシルバープリント《薔薇刑＃32》は、縁があって昨年九月に知り合いのギャラリーから購入して私のコレクションに加わった。

この作品は、日本の戦後写真史を代表するフォト作品の一点でもあり、私が個人的に鑑賞するよりも、機会があれば公共の場で多くの人に見てもらいたいと思っている。

一方、私が、〈大駱駝艦〉の舞踏にのめり込んだのは一九九〇年代のことで、主宰者の麿赤兒（舞踏家）の舞台に圧倒されたからだった。

公演名の記憶は定かでないが、始まりの合図もなく暗い舞台から静かに幕が開いた瞬間に私の目に飛び込んできたのが、白のチュチュ（バレリーナ）姿で台車に乗って登場した白塗り坊主頭の麿赤兒さんだった。

そのグロテスクな様相は、人間とは思えない「怪物」が現れたという表現だろうか。

それ以来、私は、怪演見たさに何度か〈大駱駝艦〉の東京での公演に出かけるようになり、さらに、「舞踏」の魅力にとりつかれたせいか、土方巽（舞踏家）につながる田中泯（ダンサー）が主宰する白州（山梨県）アートキャンプや大野一雄（舞踏家）の横浜の舞台にも足を運ぶようになった。

最近の私は、演劇観賞からは少し遠ざかっていたが、数年前から無性に麿赤兒さん率いる〈大駱駝艦〉の舞踏が見たくて、二〇一六～一七年には『大駱駝艦・天賦典式』の舞台（世田谷パブリックシアター）に通うようになった。

今回、田村一行さんと小田直哉さんら三人によるパフォーマンス「ハグクミ申ス者—三島由紀夫に捧ぐ」は、東京の劇場での公演とは異なり、客席の間近に作られた仮設舞台での表現であり、白塗りの背中の汗が照明で光る様子や、ストイックなまでに鍛えられた姿態がしっかりと見て取れて、改めて私は「舞踏」に魅了されてしまった。

三島由紀夫が、舞踏（Butoh）創始者とされる土方巽を高く評価していたことや、土方巽自身も三島の小説『禁色』をタイトルに借用した舞踏（一九五九年）を演じていることもあり、今回、井上さんが、〈大駱駝艦〉の舞踏家を記念フォーラムにゲストとして呼んだのだろうと思う。

井上さんのことは、五年前に東京で開催された「国際三島由紀夫シンポジウム」の中心メンバーの一人としてかかわられた記念論集『混沌と抗戦』と、私の著書『もの派の起源』が同じ出版社（水声社）から同時期の二〇一六年一一月発行だったこともあり、気になって私も購入して読んでいた。

今回、井上さんとは、二人の共通の友人である映画監督・美術研究者の渡辺真也さんの紹介で、初めてお会いすることができた。

私があいさつを兼ねて持参した[3]お土産は、生前の三島由紀夫が愛してやまなかった日新堂菓子店の「マドレーヌ」だった。

井上さんは、フォーラムの企画・演出・司会などを一人で何役もこなされていたので、司会者席の机下棚に置かれたお土産を、フォーラム終了後に会場に忘れて帰られたのではないかと、私は要らぬ心配をしながら山中湖の会場をあとにして帰路についた。

後日、井上さんから届いたメールには、「マドレーヌは高橋先生にもさしあげました。喜んでいらっしゃいました」とあり、私はほっと胸をなでおろした。

日新堂菓子店のマドレーヌ
（撮影：本阿弥 清）

註1 「日本平」は、静岡市街地中央部に位置する有度山丘陵にあり、北東側には富士山を望み、右側には弓形に突き出た三保半島の三保松原を見下ろす良好なビューポイントとして、多くの来訪者に親しまれてきた。

名勝「三保松原」が、富士山世界遺産（二〇一三年登録）の構成資産に選ばれた大きな理由には、「絹本著色富士曼荼羅図」（富士山本宮浅間大社所蔵）の存在があり、一六世紀前半に描かれた富士登拝の様子を伝える重要な作品で、有度山丘陵東麓から見た富士山と三保松原が一体を成す絵図として描かれたとされる。

三保松原が、富士山から45キロメートルも離れているにもかかわらず、富士山世界遺産の構成資産になった要因には、富士山と三保松原が一体となった日本平からの風景の存在にあったといえる。

日本平にある富士山世界遺産関連の二つの石碑は、川勝平太（静岡県知事）の発案で二〇一四年から計画が進められ、静岡県の「富士の国づくり推進会議」最高顧問だった梅原猛（哲学者）の揮毫『草木国土悉皆成仏　国土は富士なり』が世界遺産登録決定日（六月二二日）に、一方、「富士山を世界遺産にする国民会議」会長だった中曽根康弘（元首相）の揮毫『富士山』は「富士山の日」（二月二三日）に、それぞれ二〇一五年に市民や企業などからの協賛を得て設置が完了した。私自身、この二つの石碑プロジェクトに、計画から設置まで参加することができて本当によかったと思っている。

また、ドナルド・キーン（日本文学研究者）は、二〇一七年一一月一七日の講演会（日本平ホテル）で日本平を訪れ、生前の三島由紀夫との交流のことや小説『天人五衰』（豊饒の海）について語ってくれた。

三島由紀夫が、『天人五衰』を書き上げ割腹自決を遂げてから、今年でちょうど50年になる。

静岡市は、『天人五衰』の舞台にもなった三保松原の「羽衣の松」付近に、観光施設となる「みほしるべ」（静岡市三保松原文化創造センター）を建設し、２０１９年3月にオープンした。そして、三島由紀夫の没後50年にあたる今年の秋には、「みほしるべ」で特別展「（仮称）三島由紀夫と天人五衰」やトークイベントなどが開かれる予定と聞いて、私は大変うれしく思っている。

2　「大駱駝艦」は、麿赤兒（舞踏家）の主宰で一九七二年に創設した。一九八二年、舞踏カンパニーとしては初のフランス・アメリカ公演を行い、鮮烈なインパクトを与えて広く「Butoh」を浸透させたとされる。

また、麿赤兒の考え方である「一人一派」を実践し、山海塾や室伏鴻など多彩な舞踏グループ及び舞踏手を多数輩出している。（「大駱駝艦」公式ブログからの抜粋）

3　「日新堂」は、伊豆半島の南端に位置する下田市（静岡県）にあり、大正一一年創業の長い歴史を持つお菓子屋である。

三島由紀夫は、昭和三九年（一九六四年）から下田で夏季休暇を過ごすようになり、下田湾を見下ろす場所にある下田東急ホテルに宿泊して、遺作となった『天人五衰』（豊饒の海）などを執筆したとされている。

また、三島由紀夫は、下田滞在中に、週に一度は日新堂菓子店を訪れて、店で製造販売しているマドレーヌを「日本一のマドレーヌですよ」と、他のお客にも声をかけて熱心に勧めたとされている。（「日新堂菓子店」公式ブログを参考に記載）

編集後記

この研究誌も二十号を刊行することになった。第一号は「三島由紀夫の出発」という特集で、平成十七年（二〇〇五）十一月二十五日に発刊したから、かれこれ十五年になろうとしている。実を言うと、第一号の奥付を見て十五年前だったことに気がついた。当初は年に二回の刊行だったのが一回となり、二十号に至った。これまで本誌を支えてくれた読者諸氏と寄稿者に感謝申し上げる。

期せずして今年は、三島由紀夫没後五十年の年でもある。折しも、豊島圭介監督のドキュメンタリー映画「三島由紀夫vs東大全共闘　50年目の真実」が封切られた。永遠に若い三島由紀夫や森田必勝に比べ、全共闘学生も楯の会の隊員も五十年の年輪を重ねたのが印象的だった。

今回は、「『豊饒の海』の時代」という特集で、昭和四十年代の『豊饒の海』執筆時期の三島についての論文を集めた。富士の裾野の滝ヶ原分屯地で、横笛を吹き、短編「蘭陵王」のモデルとなった関河眞克氏から寄稿していただけたのは、思いがけない収穫だった。

有元伸子氏を中心にアダプテーション研究会が発足し、その第三回に吉田大八監督の講演があり、その原稿を頂戴することもできた。吉田大八氏と関係者に感謝する。

山中湖のレイクサロンのゲストは、晩年の三島と交流があり『在りし、在らまほしかりし三島由紀夫』の著書のある高橋睦郎氏と、大駱駝艦の田村一行氏、小田直哉氏だった。舞踏パフォーマンス交えたイベントについては、本阿弥清氏に報告してもらった。なお、三島由紀夫文学館は、昨年、開館二十周年を迎えた。交通至便の地とは言えないところで、着実な歩みを閲してこられたのは、ひとえに三島文学の魅力による。

新型コロナウイルス禍についても記しておかねばならない。ＷＨＯはパンデミック宣言を出し、終息の気配はまだない。ポストモダンの時代に中世的な疫病の流行が襲い、物、人、金、情報の動きが急速に鈍くなった。なにぶんご注意を。

次号は、現在中公文庫にもなっている三島の評論『作家論』を特集する予定である。

（佐藤秀明）

三島由紀夫研究⑳
『豊饒の海』の時代

発　行――令和二年（二〇二〇）五月一五日
編　集――松本　徹・佐藤秀明・井上隆史・山中剛史
発行者――加曽利達孝
発行所――鼎　書　房　http://www.kanae-shobo.com
〒132-0031　東京都江戸川区松島二―一七―二
TEL・FAX　〇三―三六五四―一〇六四
印刷所――太平印刷社
製本所――エイワ

ISBN978-4-907282-64-6　C0095